仮想空間とVR

株式会社 往来 著

VIRTUAL REALITY

エムディエヌコーポレーション

※ Facebook社の社名は、2021年10月Metaに変更されました。

※VRヘッドセットのブランド「Oculus」は、2022年1月「Meta」にブランド名称が変更されました。
旧OculusのVRヘッドセットは、製品名称が「Oculus Quest 2」から「Quest 2」（Meta Quest 2）に変更されています。

本書は2021年2月現在の情報を元に執筆されたものです。
これ以降の仕様等の変更によっては、記載された内容と事実が異なる場合があります。

はじめに

かつてSF小説の題材であり、未来の象徴だったバーチャルリアリティ（VR）技術は、いまや私たちの生活の一部分になりつつあります。高機能なVRヘッドセットが安価で販売され、家庭用のゲーム機やパソコンで楽しむVRコンテンツやゲームも数多くリリースされるようになりました。その一方で、VRを教育やビジネスに活用する動きも加速しています。そして多くの人が集まるにつれて、VRが社会として自立する「VRメタバース化」の動きも無視できなくなってきました。

本書はこれまでVRに触れたことがない人を対象に、VRを中心としたxR技術の基礎知識から、現時点におけるVRビジネスの現状、そしてメタバースにつながる大きな流れについて理解していただくことを目的に執筆しています。

Part.1では改めてVRとは何であるか、その歴史と周辺技術を交えてxRまでの広がりを概説します。Part.2ではVRをはじめる場合に必要な環境について、Part.3ではVRを用いたビジネスを実例とともに紹介します。これらの話題を受けて、Part.4ではVRメタバースの最前線について、Part.5では日本のVR界におけるキーパーソンへのインタビューを通して、現場の熱い雰囲気を感じ取っていただければと思います。

本書を執筆している株式会社 往来は、幅広い業種の様々な専門分野を持つメンバーによって構成されています。ライティングを専門とする者、IT技術に精通した者、スタートアップやメーカーでの仕事に従事している者……バラエティに富んだメンバーが結集して多角的なアングルからVRについて学んできました。VRを巡る新しい技術に驚き、本書でも詳しく解説するVRメタバースの人々の暖かさに魅せられて、その世界を広く伝えることを目的に活動している会社です。

VRに触れてみたいけれどもどこからはじめればいいのかわからない。そんな方々に本書を通してこの豊かな世界への入り口をご案内できれば幸いです。

2021年2月
著者一同

Contents

Part. 2 VRに触れてみよう

Part. 3 VRビジネスの動向

Part. 4 VRからメタバースへ

Part. 5 VRの先駆者に聞く

Introduction

仮想空間に広がる世界

Section 1 仮想空間に広がる もうひとつの「現実」

VRはゲームなどのコンテンツ分野や、ビジネス利用はもちろん、
VRの中で交流するソーシャルな場も急速に発展しています。
仮想空間をのぞいてみて、その魅力の一端をご覧ください。

VRのなかにはもうひとつの「社会」が生まれつつある

（ワールド名：Deep Blue、作者：Fins氏）

2017年にPC版がリリースされたソーシャルVRアプリ「VRChat」を体験している様子。現実をこえる様々な体験ができるだけでなく、実社会と同様の交流やイベント開催などで盛り上がっている

ソーシャルVRが生み出す新しい生活の姿

（ワールド名：紫陽花岬 -CAPE HYDRANGEA-、作者：EAST_1984氏）

VRはヘッドマウントディスプレイにうつる画像を通して異なる現実を体験できる仕組み。近年、他のユーザーとの交流を楽しむソーシャルVRが発達したことによってVRの可能性は大きく飛躍しつつある

アバターを通してユーザーは交流する

（ワールド名：思い出の旅館、作者：yuki-jp氏）

VR内でユーザー同士がくつろいでいる風景。仮想空間でユーザーは自分の分身とも言える「アバター」で行動する。アバターは現実世界の性別や年齢といった制約から解き放たれて、自由に自分を表現できる

VR内で生まれる新しいビジネスや活動の場

人が集まることで、そこに市場や新しいビジネスも生まれる。VR内で開催された「バーチャルマーケット」は現実では不可能な規模の会場で、数十万の来場者を記録した

（左）VR内で、自発的に部活動や音楽イベントなどを開催する人も生まれる（ワールド名：ATTO HOME、作者：Atto_あっと氏）
（右）VR内に特化した撮影会が開催されるなど、VRはいまやもうひとつの現実であり、活動やビジネスの場なのだ（ワールド名：エデンプラットフォーム -Ritual for Eden-、作者：Atto_あっと氏）

VRは新しい専門職や、イノベーションを生み出している

VR内でのビジネスが発達するにつれて、VRに特化した専門職や仕事も増えつつある。（上）Blenderを用いたアバター編集の様子。自然で魅力的なアバターを作成するのも高度な専門技能だ。（左）BlenderでVRワールドを構築している様子。今後ニーズが高まるにつれて、現実の施設のVR化や、純粋な創作としてのVRワールドの需要が増える。こうしたニーズが新しい専門職と市場を形成していく

Section

2 VRからメタバースへ、決定的変化がやってくる

私たちの生活を根本的に変える可能性を持つ技術が、いま開花のときをむかえています。
バーチャルリアリティ(VR)、いわゆる「仮想現実」です。
VRに人が集まるにつれ、そこに新しい社会が生まれつつあるのです。

執筆:堀 正岳

技術的な臨界点をむかえたVR

VRというと、多くの人はディスプレイ付きの大きな装置を頭に装着し、ゲームやコンテンツを楽しむ光景を想像するのではないでしょうか 01 。それが生活を根本から変えるほどの社会的に巨大なインパクトのある技術だと言われても、すぐには信じがたいかもしれません。

しかし、技術が臨界点に達して社会を変えるきっかけは意外に小さなものであったりします。たとえば積み下ろしの作業を効率化するため生み出された輸送用コンテナの発明は、港湾の形からトラックが曲がるための最小半径の必要性を通して、私たちが住んでいる都市の形や風景にまで影響を与えました。

携帯電話やスマートフォンにカメラが搭載されたことは企業がユーザーのニーズに従った結果に過ぎません。しかしその結果、家族写真のほとんどがスマホで撮影され、「自撮り」というジャンルが誕生し、目の前で起こった事件や歴史的瞬間が市民の手で撮影され広げられるなど、我々はカメラによる社会の変化の真っ只中にいます。

技術があるステージに達したり、変化が加速度的に発生する人数=クリティカルマスに受容されたりすることで社会的変化は一気に起こるのです。VRもまた、スマートフォンの発明と同じように、私たちが持っている社会や世界観を変えてしまうと言われています。その技術が臨界点を迎えつつあるきっかけは、

1. 安価で自由度の高いVRヘッドセットやスマートフォンの登場
2. Facebook、VRChatによるソーシャルVRの推進
3. VR空間を作成するためのツールの成熟と熱心なユーザーによる普及

の3つだと言えます。この、一見目立たない技術の発展が連携して「メタバース」という新しい社会の形を生み出しつつあるのです。

遅咲きだったVR元年

もともとVRは、人間が立ち入るには危険な環境にある機械類を離れた場所から操作するための「テレプレゼンス」の技術をルーツとしています。

離れたアーム類を操作するにはカメラを通して遠近感も含めた現場の正確な位置関係を把握する必要があります。また、掴もうとしている物体の触感などが操作している側にフィードバックされなければ、力が入りすぎて壊れることも考えられます。このように操作する人間の知覚を離れた場所のそれに置き換える研究が盛んになりました。国内初の総合的なVR関連本を執筆した服部桂氏はこれを「人工現実感」という言葉で表現しています(服部桂著『VR原論』翔泳社,2019年、原題『人工現実感の世界』)。現実を技術的に置き換えることによって、新たな感覚が生まれていることを端的に示した用語です。

サイエンス・フィクションの分野はこのアイデアを捉えて想像力によって補完していきました。情報によって構築された世界「サイバー空間」の中に人間が没入するウィリアム・ギブスン氏の『ニューロマンサー』(早川書房,日本語訳初出 1986年)、ニール・スティーヴンスン氏の『スノウ・クラッシュ』(ハヤカワ SF文庫,2001年)といった作品は、VRが向かう社会像とその倫理的問題を早い段階で描き出していました。日本からも士郎政宗氏の「攻殻機動隊」といった漫画やアニメがその視覚的イメージを提供し、VRの可能性を追求しています。しかしこの段階では

01 VRヘッドセットを通して体験できる世界

ここ数年のハードウェアの発達によって、まるで現実とみまごうような解像度の高い映像を実現している
(ワールド名:天元 -ハジマリクイキ -Isolated Area- Origins-、作者:Atto_あっと 氏)

現実のVR技術はまだまだ研究上のもので、一般向けのものではありませんでした。

その後インターネットの普及によってすべての人々がメールや掲示板でつながるようになり、SFで描かれたような、ユーザー同士がネットでつながったVR空間が実現する期待も高まります。リンデン・ラボ社の開発したSecond Lifeに代表されるような第一次VRブームはクリティカルマスには達しなかったものの、VRの中に新しい社会を生み出しうる可能性を見せてくれました。

一方、仮想空間を体験するために必要な解像度と自由度を持っているデバイスの開発も少しずつ高度化していきます。人間の視界を置き換えるために必要な視野角と解像度を満たすディスプレイの小型化、コンピュータ側の処理能力の向上、センサーの小型化などが、一歩一歩進んでいったのです。しかしそれらの技術がすべて統合されたブレイクスルーがなかなか訪れないまま、年月は過ぎていきました。

こうした状況が、2012年に発表されたOculus Riftの登場によって一変します。Oculus Riftはパソコン側で歪曲収差させた画像をヘッドマウントディスプレイ(HMD)内部のレンズによって補正することで小型化に成功しており、このHMDとパソコンの開発キットが統合された安価なソリューションとして大きく注目されました。

Oculus社はその後2014年にFacebook社に買収され、Oculus VR社としてコンシューマー向け製品であるOculus Rift CV1、Rift S、Oculus Go、Oculus Questを次々と開発していきます 02 。また、その競争相手であるHTC Vive、PlayStation VRといった製品も登場してマーケットは急速に拡大しました。

まだまだスマートフォンほど普及しているとは言い難いものの、体験できるVRコンテンツの普及や、VRChatなどのソーシャルVRの登場も経て、ようやくVRが世界中に広まる下地ができたと言っていいステージに到達したのです。

02 ヘッドマウントディスプレイの進化

2018年に開発者会議「Oculus Connect 5 (OC5)」で、Oculus Questを発表するFacebook CEOのマーク・ザッカーバーグ氏

メタバース的なサービスの出現

VRがプラットフォームとして確立すると、さらに大きな変化が次にやってくることが予想できます。様々なVRの間を人が自由に行き来し、その中で社会が構築され、現実と同じように仕事や生活が可能になっていくのです。こうした世界のことを、複数のVR世界を宇宙（＝ユニバース）になぞらえ、それを束ねて超越する（＝メタ）ものとして「メタバース（Metaverse）」と呼びます。

仮想空間の中で人々がある一定の社会性を獲得するメタバース的な存在はこれまでにもいくつかありました。オンラインRPGであるスクウェア・エニックスのFinal Fantasy XIVや、Fortniteといったバトルロイヤルゲームもその一例です。

そうしたメタバースの萌芽をいま最も感じることができるサービスはVRChatです。VRChatでは、ファンタジー世界の村のような空間から、無限に広がると思われるような未来都市まで、様々な体験をすることができる「ワールド」と呼ばれる空間が2万5,000種類以上あり、現在も拡大中です。VRChatはこうしたワールドを友人とともに楽しむことができる、ソーシャルな側面が強く反映されているサービスです。ボードゲームを楽しむワールドや、盛り上がるためのパーティ会場といったように、たとえ離れていても、相手の素顔を知らなくても交流できる新しい社会性を獲得した空間なのです。

この空間に初めて降りたつと、最初は見慣れないゲームを操作しているような違和感を感じます。鏡で見る自分の姿は見慣れないものですし、出会うユーザーはみな思い思いの姿で混沌としています。しかししばらく経つと、自分の姿にも慣れてきますし、他のユーザーとの会話を通して相手がそこに居る、自分もそこに居るという感覚が生まれてきます。

VRをゲームのようにプレイしているのではなく、もうひとつの現実としてそこに居て、他のユーザーと時間をともにしている感覚が生まれることが、メタバースを生み出す原動力なのです。

VRメタバースがもたらす未来

バーチャルリアリティにはPart.1でも解説する通り、認識できる三次元空間と、実時間の相互作用、そして自分がそこに居る実感という自己投射の三要素が欠かせません。この自己投射性の延長として、他者がそこに居ることを実感できる「社会的相互作用」という第四の要素が加わったことで、ようやくVR世界は実世界と双対するもうひとつの社会になったと言えます。Webページのように読むメディアだけだったインターネットが、リアルタイムに相手と交流できるSNSの誕生によって大きく体験が変わったのと同じように、視聴するだけのVRは体験を相手と共有するVRに進化したことで、メタバースという新しい世界を生み出しつつあるのです。

メタバースが、私たちにとって魅力あるもうひとつの世界であるということは、そこには現実の世界で求められているのと同じようなニーズやビジネスのチャンスが膨大にあります。

たとえばVRChat内にはその日の気分で楽しむことができるゲームやアトラクションを提供するワールドや、ユーザー自身が開催しているイベントが多彩にありますが、それは現実の遊園地やイベントとなんら変わりません。VR空間内で使用するアバターを制作して提供する、VRワールドを制作する、VR空間内での撮影を専門に行うカメラマンといったように、VR空間に特化した技術的なニーズも高まっています。やがて、VR空間内の販売、サービス提供、金融といったように、現実のニーズと仮想空間上のニーズが重なり合った、新しいビジネスが様々に展開することが予測されます。

メタバースはこうした変化を、個人間のコミュニケーションから社会活動にまで及ぼすことが予想されます 03 。個人にとっては居場所、属性、肉体的制約から脱却したコミュニケーションが可能になり、社会にとっては人間が体験できる環境がデジタルの世界に大きく拡張されるということを意味しています。メタバースの誕生は新しい価値観と経済市場の誕生でもあるのです。

VRについて語るとき、必然的にメタバースについて語らなければいけない。そんな未来がいまひらけつつあるのです。

03 VRメタバースという新しい社会

VRに人が集まるようになると、そこには必然的にVRメタバースと呼ばれる新しい社会が形成される

Part. 1

VRとxRの歴史を振り返る

Section

VRとは「仮想」でなく、限りなく「現実」に近いもの

本書で扱っていく「VR(バーチャルリアリティ)」とは、どんなものでしょうか。バーチャルリアリティについてある程度知っている方もこれから学んでいきたい人もまず最初に、VRの定義と意味をおさらいするところからしばばし付き合いください。

執筆:岩佐琢磨

バーチャルは「仮想」と訳すのが間違い

バーチャルリアリティ(以下、VR)という言葉は、日本語において「仮想現実」と訳されますが、本来の英語の意味と大きく異なっていますし、現在のVR界隈をうまく表現できていません。「仮想」というと、空虚なものを指す言葉に聞こえてしまいますが、本書で触れる「VR空間内での体験」や「VRメタバース」は確かにそこにあって、様々な価値(Value)を提供してくれるものです。これを、バーチャル(Virtual)な空間、と呼んでいきます。

さて、本来の英語のVirtualの意味は、辞書を引くと「①very nearly a particular thing」とか、「②made, done, seen etc on the Internet or on a computer, rather than in the real world」(ロングマン英英辞典)です。直訳すると「①あるものに非常に近い、ほとんどそれと変わらないもの」とか「②現実の代わりにコンピュータ上やインターネット上で何かを作ったり、行ったり、見たりすること」となります。後者がまさに本書で扱うバーチャルです。

バーチャルというのは、何もVRが生んだ新しい概念ではなく、以前から存在しています。たとえば利用者の多いオンラインバンキング。本来は銀行の窓口に行かなければならなかった業務をオンラインで代替できます。口座残金を確認し、そこから10万円を家賃として大家さん振り込みます。このネットバンキングも、まさに「バーチャル」な行為です。つまり、PCとネットを使って(on the internet or on a computer)現実空間でお札を1枚も見ることがなく(Rather than real world)、残高を確認して(Seen)、資金の移動を行い(Made)、家をもう1ヶ月借りるバーチャルな契約が完了(Done)されている。Amazonプライムビデオで映画をレンタルすることも、Twitterに気の利いた書き込みをしてたくさんの「いいね」がつくのも、すべてバーチャルに当たります。

そう思えば、VRは決して特殊なものではなく、すでにみなさんが使っているサービスと同じ、とても身近にあるものに感じるのではないでしょうか。

キレイなCGよりも、この三要素がVR

現実という日本語は、「いま目の前に事実として現れている事柄や状態」（デジタル大辞院）です。バーチャル空間、つまりコンピュータによって描かれた空間の中ではあるが、そこで文字通りVRヘッドセットのレンズを通して見える「現実＝Reality」が、バーチャルリアリティというわけです。

ゲームや映画について「リアルな表現」と言うとき、これは必ずしも解像度が高い映像だけを言うわけではありません。たとえ棒人間のような外観で、視覚的な解像度は低いキャラクターでも、その向こうに人がいてスムーズに会話ができ、手を握り合う感覚を感じながら、いっしょにワルツを踊ることができたならば、それは映画館のスクリーンに映っている精緻なCGより、遥かに「リアルだ」と感じるでしょう。

初版は約20年前と古いですが、定評ある解説書『バーチャルリアリティ入門』（舘暲著，筑摩書房）では、VRをこのように定義していました。

「『三次元の空間性』と『実時間の相互作用性』それに加えて『自己投射性（自分がその中に入り込んでいる感覚）』の三要素を有したものがバーチャルリアリティ」 01

平易な言葉で言えば、VRヘッドセットの中に現実世界とは別の三次元空間（VR空間）があると感じ、現実世界で身体を動かして歩いたり触ったりすると、それに連動してVR空間でインタラクションが起き、結果「この世界に入り込んでる！」と感じる。ここまでセットになって初めて、「バーチャルリアリティ」と呼べるわけです。たとえVRヘッドセットを被っていても、YouTubeで3D映像を見ているだけでは三要素のうちひとつたりとも満たしておらず、VRとは呼べないというわけです。もっとも、同じYouTubeでも360度カメラで撮った動画であれば、三次元空間性については備えていると言えるのでしょう。

01 バーチャルリアリティの三要素

三次元の空間性

現実世界とは別の三次元空間（VR空間）があると感じられる

実時間の相互作用性

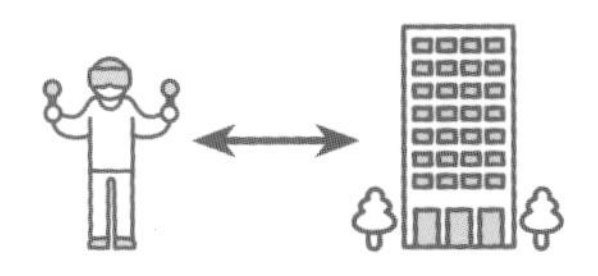

現実世界で身体を動かすと、VR空間でインタラクションが起きる

自己投射性

操作している人間が「この世界に入り込んでる！」と感じる

では改めて、2021年現在の「VR」とは？

ちょっと堅苦しい解説からスタートしてしまいましたが、とにもかくにも、ゴーグル型VRヘッドセットを被って見える・聞こえる・感じられる世界は、確かに存在し、虚像などではなく価値のあるものです。現状では、手で触ることはできないものの、今後は、触った感覚などまで実現されると考えられます。

少々荒っぽい表現となることを承知で書けば、2021年現在においてVRとは「外界の音と映像を完全に遮ることを特徴とした、ゴーグル型表示デバイス（VRヘッドセット）を被り、コンピュータによって作られた三次元空間に自らの身体感覚を没入させる体験のこと」ぐらいに理解して構わないでしょう。

本来のVRの言葉の定義はもっとずっと広いものなのですが、「自らの身体感覚を没入させる」度合いが、最新のVRヘッドセットとコントローラの登場によって飛躍的に向上したことでから、VR＝VRヘッドセット内の世界という、やや狭い定義が新たに生まれてきたと言っていいでしょう。

ただ、VRによって生み出されたコンテンツを利用するには、必ずしもVRヘッドセットが必要なわけではないというのは知っておきたいポイントです。演者がVRヘッドセットを被ってVR空間に没入して演じているコンテンツを、スマートフォンやテレビといった非VRデバイスで見る 02 。この視聴行為そ

02 VRヘッドセットなし視聴者もVR空間に参加している

演者はVRヘッドセットを被ってVR空間で演技をし、視聴者はテレビで見ている様子。バーチャルな歌手のダンスは現実空間の男性の動きかもしれない

のものはVRではなくただの映像視聴ですが、広義にはVRの社会実装だと言えるでしょう。

VRライブの比較としてスポーツ競技の生中継を思い浮かべてみましょう。選手がいて、スタジアムで応援しているファンがいて、それらを解説とともにセットしたテレビ中継というコンテンツを受け取っているお茶の間のみなさんが居る。奇しくも2020年は無観客試合が幾度となく放送され、盛り上がりに欠けるなと思った方が多いでしょう。VRも同じで、演者や一部のファンはVR空間の中で特別な体験をし、それをVR空間の外から見る人も多くいる、そんな構造がもうすでにできあがりつつあるのです。

演者だけがVR空間に居る、ちょっと変わったVR体験

ゲーム開発者たちの国際会議GDCにて、2018年にProject Siren 03 という展示デモが行われました。これはEpic Games社の3D空間描画エンジンUnreal Engine4を用いたバーチャル空間内に、まるで本物のように動く3DCGの中国人女優ジャン・ビンジェが、モーションアクターの動きからほぼ遅れることなく、リアルタイムで合成され映し出されたのです。精緻なCG人間は映画などでお馴染みですが、眉や口の動きはもちろん、指の動き1本までリアルタイムで描画されたこのデモには驚かされました。どこかのスタジオにこの装置があれば、いつでも有名俳優を3D空間に登場させることができるというわけです。見る側にVRデバイスがあれば俳優と同じ空間を共有する体験ができてしまいます。選ばれた100人のVR空間内に呼ばれたファンたちとのやり取りを、テレビやスマートフォンといった非VRデバイスから見ることも、これまた先のスタジアムの例と同じくVR体験の延長です。

2018年の段階では専門家向け技術デモの域を出なかったSirenですが、2021年のCES2021でソニーが発表したイマーシブリアリティコンサートは、同じUnreal Engineを使用して、米有名歌手マディソン・ビアーの3DモデルをVR空間に再現し音楽ライブを行うとし、プロモーションビデオを先行公開しました。PlayStation VR（略称はPSVR）の他、モバイル機器、ストリーミングサービスに向けて配信を予定しているとのことで、この種の技術を一般化する最初の例となるのかもしれません。

あえてソニーはVRと言わず独自のイマーシブリアリティと表現していたのも、VRの定義を考えると興味深いところです。VR空間内での音楽ライブについてはPart.3で実例を交えて深堀りします。

03 Project SirenのYouTube動画

当時の展示デモの内容は、公式YouTubeで見ることができる
https://www.youtube.com/watch?v=mIFiftCLQsc

Section 2 現実を「拡張」するAR

VRに似た言葉として、ARや、xRなど似たような言葉を聞いたことがある人も多いでしょう。これらはVRに関連した技術。まず、スマートフォンアプリでも盛んに利用されるARについて解説します。

執筆：岩佐琢磨

ARは現実にコンピュータで「加える」技術

VRと並んでよく聞く言葉は、ARでしょう。Augmented Reality（オーギュメンテッドリアリティ）、日本語では拡張現実と呼んでいます。この訳は仮想現実と違って本来の英語の意味を正確に表現しています。Augmentedは増幅されたとか拡張されたという意味ですし、ARは現実世界にコンピュータが生成した何かを付け加えることで、価値を生む技術です。2016年にリリースされた「ポケモンGO」は、ARゲームの典型と言えましょう。プレイ中にスマホカメラをかざすと、現実世界に、草むらの影に隠れた（現実にはいない）ポケモンが現れます 01 。このポケモンGOのAR機能は電池を消耗することもあり、数回体験してオフにした人も多かったのですが、現実世界の地図を用いた位置情報ゲームという意味では、ARすなわち現実世界に「加える」ことで価値を生むという定義に沿っている好例です。古くはドワンゴの携帯電話用ゲーム「誰でもスパイ気分」から、現実世界にバーチャルを重ね合わせたものは、みなARと呼べたのです。

もっとも、ARの定義があまりにも広いことや、ポケモンGOの大流行にあやかろうと2016～17年頃はARと名付けたサービスが多数世に出た結果、ARという言葉がわかりにくいものになりました。今現在、「DX」という言葉が濫用されているのと同じです。

01 ARは現実を拡張する

スマホやARグラスなどを介して見ると、現実にアニメや効果などが追加された情報が加えられている

ARの発展とスマホでの利用

ARが爆発的に流行ることになったきっかけは、スマートフォンです。ONE COMPATH社「ケータイ国盗り合戦」の時代（2005年～）は携帯電話通信用アンテナによるおおまかな位置情報を用いて現実にバーチャルを重ねることしかできませんでした。しかし、2010年代に普及したスマートフォンは、AGPS※1を用いた1mレベルでの位置情報と、地磁気センサーを用いた方角情報を扱えるようになりました。さらに、現実と重ね合わせても違和感のない、高精細なCGを描画できる性能のSoC※2が搭載されるようになりました。これによりARコンテンツが一気に一般化したのです。

2018年以降のスマートフォン向けSoCにはAI処理を加速するNPU（Neural Processing Unit）コアが搭載され、AI技術を使った際の現実空間とバーチャルの重ね合わせにおける違和感が極端に少なくなりました。2019年のGoogleスマートフォン、Pixel 4では、ミリ波レーダー送受信機、明るさセンサー、IRデプスカメラが2台と、3種4個のセンサーをこれでもかと載せていたほどです。結果、スマートフォンを使ったARコンテンツは、ARと認識させないほど普及します。そのいい例がビデオSNSのTikTokや自撮りアプリSNOWなどで人気のフィルターです。これらのARフィルター機能は多くの人に現実世界の映像にエフェクトに重なることが当たり前と思わせるようになりました 02 。また、ビジネスパーソンには馴染みの深いZoomなどのオンライン会議システムで使う背景ぼかしや背景合成も2020年に爆発的に利用されるようになったAR技術のひとつです。

※1 AGPSは、衛星などを使った補助GPSで、携帯端末の位置をより正確に割り出すために用いられている
※2 SoC（System on a chip）は、CPUやGPUをはじめ機器の動作に必要なコンポーネントをチップ上にまとめたもの

02 SNOWを使ったAR合成

スマートフォンアプリSNOWのARフィルターの例（Google Play Store掲載のアプリサンプル画面より）。静止画ではわかりにくいが、動画であっても、顔の位置にあわせてバーチャルな耳やヒゲがオーバーレイ表示される
https://www.snowcorp.com/ja/

ARが抱える課題

こうして爆発的に利用されるようになったAR技術ですが、B2Cでは、なかなかスマートフォンにおけるAR体験の域を出ていません。センサーやSoCは進化したものの、カメラと液晶が付いたタッチパネル操作の小型端末というハードウェア部分が変わらないので、これは仕方がないともいえます。目で見えている世界にバーチャルなものを重ね合わせてみるために、シースルーのメガネ型ARデバイスがいくつも開発されてきましたが、なかなかどうして一般には普及してきていません。

03 ARグラスのコンシューマ利用例

ARグラスの表示例。現実世界にバーチャルな情報（ここでは現実の世界に地図）が重ね合わされる

Googleも2013年にGoogle Glass※1を発売しますが普及することなく生産を終了 03 。2019年に後継機が出ましたが、B2B用途に切り替わりました。マイクロソフト社はHoloLens 2を提供していますが、約42万円という価格もあり、まだ一般向けとは言い難いでしょう。コンテンツとデバイスはニワトリと卵の関係とはいえ、ARグラスでなければ楽しめないコンシューマー向けキラーコンテンツが存在しないことが普及を阻む要因ではないでしょうか。

※1 2015年に初代機は販売中止。2019年に開発者向けとしてGoogle Glass2をリリースしている

実は進むARのB2B利用

しかし、実はこのARグラス、一般の方が目にしないところで少しずつ普及しています。工場や工事現場といった場所で、会社から作業員さんたちに支給して使ってもらうという形です 04 。現場で設計図を確認したり、接着や切断する箇所をARグラス内で示してミスを減らしたり、様々なB2BでのAR活用が行われています。NASDAQに上場しているARグラスメーカーの米Vuzix社や、国内ではウエストユニティス社など、この領域に特化したARグラスを開発している会社がいくつもあります。

もちろん究極のARは、「攻殻機動隊」などのSF作品でお馴染みの、脳に直接介入して視神経からの視覚情報伝達にバーチャルを重ね合わせる手法ですが、この実現にはまだもう少し時間がかかるでしょう。

Part.1

といってもテスラ・モーターズ社のイーロン・マスク氏の新事業である米ニューラリンク社では人間の脳をコンピュータ接続するアプローチを急速に進めており、10年も経てば攻殻機動隊レベルのARが実現しているかもしれません。

04 ARグラスを作業効率化に利用

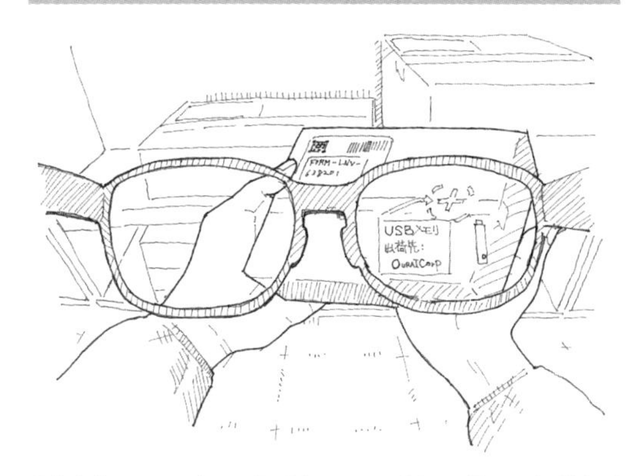

物流倉庫でのARグラス利用例。ここでは製品に対する付加情報が重ね合わされるなどして作業効率化に活かされるB2B利用例もすでにはじまっている

ARとVRの間にあるMR

VR、ARの他にも、MR（Mixed reality）という言葉もあります。これは、「VRとARの間のどこか」を定義した言葉で、1994年に大阪大学の岸野名誉教授らによって初めて定義されました 05 。完全に没入してしまうのがVR、完全に現実世界なんだけれど、少し拡張された程度がARと定義し、その間となるようなものを定義する言葉が必要だということで生まれた概念です。

ただ、ARの定義がふわっとしてしまった結果、一般の方の理解としては「完全に没入はVR、それ以外はAR」……ぐらいの分類になってしまい、やや宙に浮いてしまった言葉がMRだと言えるでしょう。2021年現在はあまり使われなくなった言葉です。

05 MRとは？

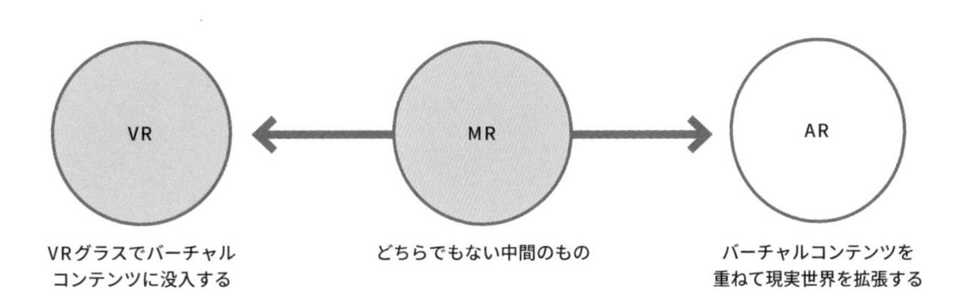

Section

3 xRという言葉が指すもの

**MRと言わなくなった代わりに、新しく目にすることが増えた言葉がxRです。
新しい「現実」を表現するために、様々な「なんとかリアリティ」という定義が
増えていったのちに生まれた言葉、xRについて解説します。**

執筆：岩佐琢磨

Part.1

VRそれともAR？　できた言葉がxR

VRヘッドセットをかけて完全に没入するのがVR。現実世界を拡張するのがAR。では、VRヘッドセットをかけて完全に「視覚」は没入しておいて、現実世界の聴覚や触覚をVRヘッドセット内の映像にあわせてコンテンツによって操作してしまう手法は、何と定義するのでしょうか？　そこで出てきたのがxRという言葉。

VRなのかARなのか、MRなのか、よくわからない、という新しい体験や新しい技術がどんどんと生まれてきたこともあり、VR、AR、当然その中間に位置するMRも含め、いっしょくたにして、さらにこれから先にきっと出てくるであろうまだ見ぬ新しいReality技術たちをも総称した言葉「xR」が生まれましたのです 01 。

ですから、xRとはVRと違ってこうだ、という定義があるわけではありません。

xRという名称を使っている一例は、ユニバーサル・スタジオ・ジャパンのアトラクション「XRライド」です。VRヘッドセットをかけて、本物のジェットコースターに乗るのです。たとえば、ある回のXRライドではVRヘッドセット内の映像は銭形警部とカーチェイスするルパン三世のクルマ（の後席に押し込められているヒロインの視点）になっています。ジェットコースターが急激に右に曲がり、コースターの座席が地面に対して横倒しとなって疾走しているとき、同時にVRヘッドセット内の映像もルパンの車が急旋回して横倒しになったまま走っている映像が流れ、あたかも本当にルパン三世の車に同乗しているかのような体験ができたりします。同様の体験提供は海外のテーマパークでも多数行われています 02 。

最近では大型ショッピングモールなどでも、このような視覚+聴覚をVRヘッドセットに没入させ、触覚を現実世界側で刺激するような体験型施設が、かなりの数営業するようになりました。1,000円程度で体験できるものも多いので、都市部にお住まいの方はぜひ一度体験してみてください。

01 xRの全体像

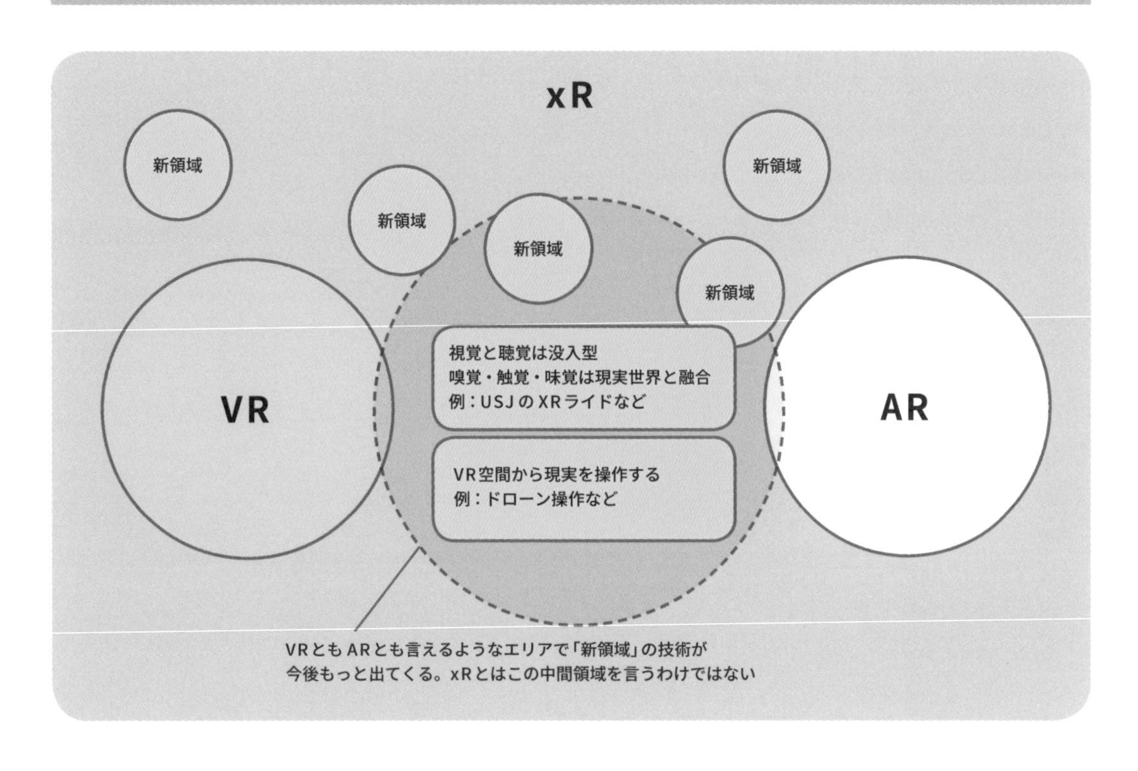

02 xR的なアトラクション

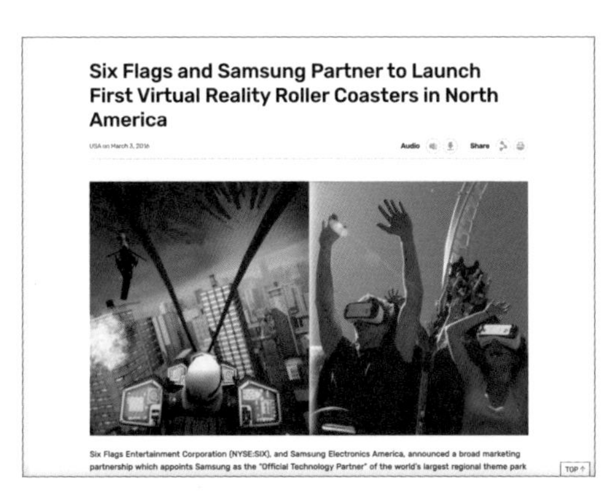

米国の絶叫マシンが売りの遊園地Six Flagではサムスン電子社と組んでxRコースターを提供する。ゴーグル内に広がるコンテンツはスーパーマンシリーズなど。
https://news.samsung.com/global/six-flags-and-samsung-partner-to-launch-first-virtual-reality-roller-coasters-in-north-america

Section

4 VRが生まれてから現在までの流れ

歴史の本ではないですが、ちょっとだけ歴史を振り返ってみるのも悪くないでしょう。最近頻繁に聞くようになったVRやARですが、その歴史自体はとても古いのです。

執筆：岩佐琢磨

● 世界初のゴーグル型VRヘッドセット

初めてVRヘッドセットらしきものが空想として描かれたのは、1936年に刊行されたSF雑誌「Wonder Stories magazine」に掲載されたショートストーリー「Pygmalion's Spectacles」だと言われています。ガスマスクのような装置を顔に付けると、ホログラム映像が内部に浮かび上がるという描写でした。

Sensoramaというデバイスが開発されたのが1950年代。これはステレオ方式の立体映像を見ながら、映像にあわせて匂いや風などが出てくるデバイスで、たとえばバスの後ろを走るシーンでは排気ガスの匂いがしつつ風を感じるというものでした。

1960年代には米空軍に向けた軍事用トレーニング機器としてヘルメット型のVRデバイスが開発されます。1968年にはMITでThe Sword of Damaclesという機器が開発され、いまでいうVRヘッドセットの原型ができあがります。この装置は、天井から伸びる棒の下にヘッドマウントディスプレイが接続されていて、そこに付いているセンサーによって頭の動きを認識することができたそうです。液晶ディスプレイなどなかった時代ですから、小型のブラウン管を2つ用いた装置でした 01 。

01 The Sword of Damacles

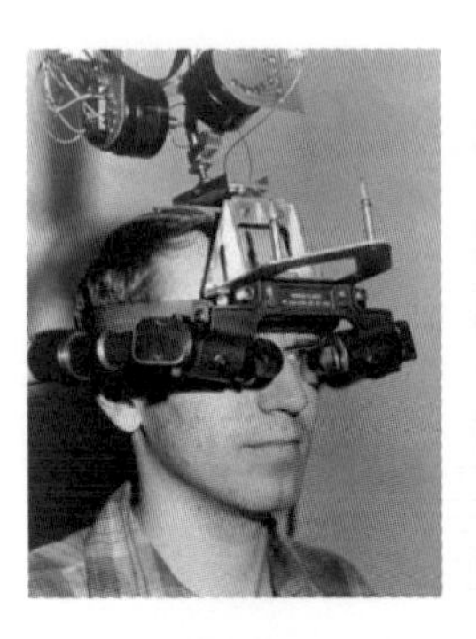

装着した状態の頭部
https://amturing.acm.org/photo/sutherland_3467412.cfm

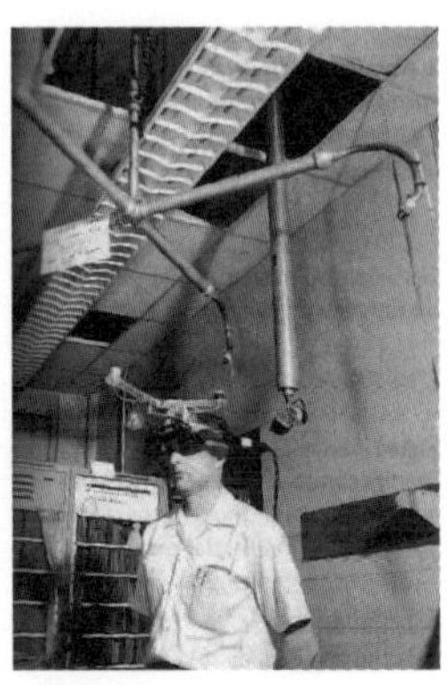

装置は天井から吊るされていた
(Basu, Aryabrata. (2019) . A brief chronology of Virtual Reality.)

VRデバイスの揺籃期

NASAもVRを開発

　その後1978年にはAspen Movie Mapなる、いまでいうGoogleストリートビューのようなテクノロジーが同じくMITから発表されました。この開発に関わっていたスコット・フィッシャー氏はその後Atari社を経てNASAに勤務し、宇宙船内で使う用途で「バーチャル・エンバイロメント・ワークステーション」と名付けられたVR空間と、それを操作する装置のアイディアを発表します 02 。あたかもそこに居るかのような感覚でバーチャル空間を操作・利用するという概念は、ここで生まれたと言われています。

　The Sayre Glovesについても触れておく必要があるでしょう。1977年に発表されたこのデバイスは、手袋型のデバイスで、指の動きをデジタル信号として取り出すことができる画期的な技術でした。このデバイスが元となり、1989年にはマテル社からファミコン用にパワーグローブが発売されました。VR技術が家庭に入った初めての製品と言えるかもしれません。しかし市場には受け入れられず、わずか1年あまりという短命の製品となってしまいました。

ゲーム業界でのVRデバイス

　1992年の映画「バーチャルウォーズ（原題：The Lawnmower Man）」のヒットもあり、1990年代前半にはVRという言葉が広まりました。

　1993年にはセガが家庭用ゲーム機メガドライブ用のVRヘッドセットを発表。発売には至らず幻のデバ

02 バーチャル・エンバイロメント・ワークステーション

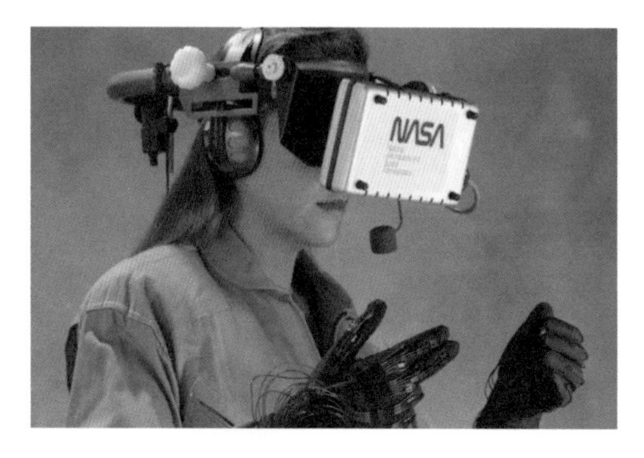

このヘッドセットを装着してオペレーターは「環境の中に入っていきインタラクティブな操作ができた。1990, Partnership with VPL Research, Inc. (https://www.nasa.gov/ames/spinoff/new_continent_of_ideas/)

03 VRが使われたゲーム

お台場ジョイポリスに設置されていたxR体験筐体VR-1（セガ）（© SEGA）

イスとなりましたが、世間を大きく賑わせました。1994年には、ゲームセンターにて同社初のVRアーケードゲーム機、VR-1 motion simulatorが稼働をはじめます（前ページ 03 ）。ちなみに、VR-1登場時に被るヘッドマウントディスプレイ「メガ・バイザー」のデザイン、実機を見たことがなくてもどこかで見た気がしませんか？　VR-1は短命に終わったのですが、メガ・バイザーのデザインは1995年に発表されたアーケードゲーム、電脳戦機バーチャロンの意匠として取り入れられ、現代までその片鱗を残すことになったのです。1995年には任天堂からバーチャルボーイが発売されますが、これも商業的には成功せず、翌1996年には販売を終了します。

振り返ってみると、様々な観点から1995年前後はターニングポイントとなっているように感じます。バーチャルボーイの失敗をよそに、1996年には日本バーチャルリアリティ学会が設立され、学術分野として日本にVRが認知されました。パソコン市場においては、3dfx社が「3D描画処理だけを受け持つチップ」としてVoodooシリーズを普及させたことで、自宅のディスプレイ内に再現できる3D空間のレベルが劇的に向上。美しい3D空間を自在に動き回る、といういまのVRゲームの基礎となる形ができ上がります。バーチャルボーイ以降はコンシューマー向けVRデバイスという分野は長い減退期へと入るのですが、研究分野やビジネス分野、一部マニア向けの市場においてVRは死んでおらず、現在につながるような様々な製品が発売されていきます。

ついに来た、現在につながる2010年代のVR

2000年代に入ると、B2B用途を目的にしたヘッドマウントディスプレイが次々と発売されていきます。頭の動きを検知する方式は地磁気センサーと加速度センサーを用いたものが一般的でした。

1995年から2012年までは、コンシューマー向けVR機器は停滞期であったと言うべきでしょう。ところが2012年にOculus Rift 04 がKickstarterにてクラウドファンディングを実施、9,522人のファンが創業者パルマー・ラッキー氏に約2.5億円の資金を送り込んだことから、現在に続くコンシューマー向けVR機器普及の流れがはじまりました。

なぜ、Oculus Riftはすごかった？

少しテクノロジーについて解説しておきましょう。Oculus Riftは当時としては驚くほどの高解像度・高リフレッシュレートを低価格で実現して話題となりました。なぜ当時はまだ立ち上がったばかりのベンチャー企業だったOculus社にそんなことができたのでしょうか。その秘密は、サムスン電子社のスマートフォン「Galaxy Note 3」の有機ELディスプレイがそのまま組み込まれており、フレネルレンズを通してそれを見るという非常に単純な仕組みにありました。製品の中には、サムスンロゴが印字され、VRグラスでは使うことがないタッチパネルが付いたままのディスプレイが組み込まれていたのです。ベンチャー企業らしい機転の効いたやり方だと話題になりました。

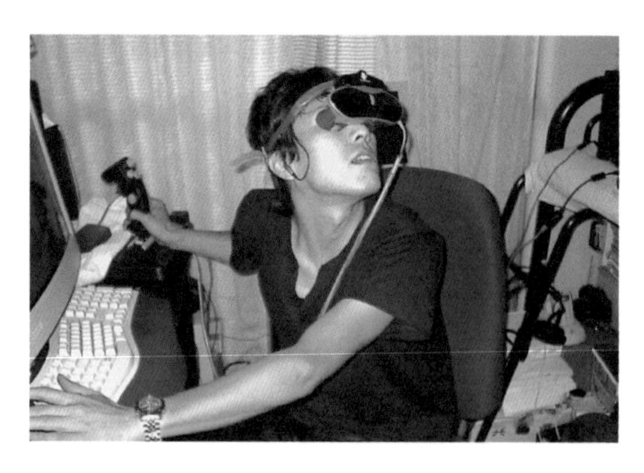

2002年のVR環境（HUQ氏提供）。一部ゲーマーはB2B製品を用いて自宅VR環境を構築しはじめていた

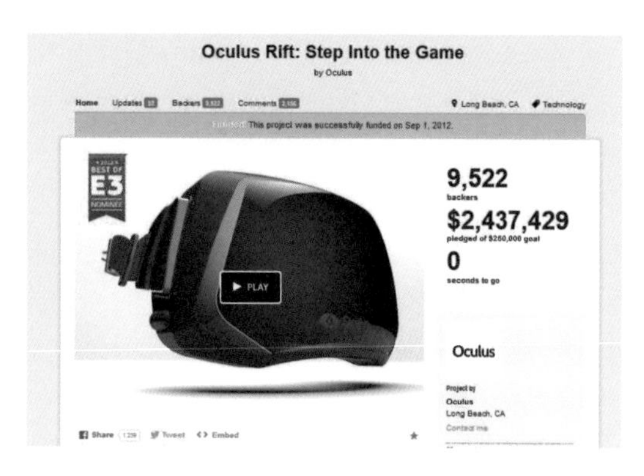

2012年にOculusがクラウドファンディングに成功したときの画面。この画像とは全く異なる出で立ちとなったが、大絶賛された

第二次VRデバイス大戦

初代Oculus Riftの華々しいデビューにより、大企業が次々とVRデバイスを発表します。1990年代を第一次家庭用VRデバイス大戦だとすると、2010年代中盤はOculus社というベンチャー企業に端を発する、はるかに大規模な第二次大戦だったと言えるでしょう。

IT各社がVRデバイスを発表

2014年にはGoogleが、ダンボールとレンズを組み合わせるだけでスマートフォンがVRデバイスのように使える、Google Cardboardをイベント参加者全員に無償配布。続いて、Oculus社と提携した　スマートフォン大手のサムスン電子社が2015年末にGearVRを発表します。これはディスプレイとメイン・プロセッサーがない製品で、サムスン製の対応スマートフォンを差し込んで使う形でした。

続いてスマートフォンのシェア争いに破れ株価が暴落していたHTC社が、起死回生の一手として2016年4月にHTC Viveを発売、現在まで続く定番モデルとなりました。Oculus社も一般消費者向けモデルとしてOculus Rift CV1を同時期に発売します。同年10月にはソニー・インタラクティブエンタテインメント社からPlayStation VR（PS VR）が発売され、バーチャルボーイから20年近い時間を経て家庭用ゲーム機用のVRデバイスが復活します。マイクロソフト社は若干遅れて2016年、イベントでWindows MixedRealityを発表、対応ヘッドセットは1年後の2017年10月に販売を開始します。

立て続けにコンシューマー向けVRデバイスが発売されたことにより2016～2017年はVR一般普及の元年となるかと期待されましたが、業界の異常なまでの盛り上がりに対し、市場はやや冷ややかでした。

Oculus Questの衝撃

しかし、2018年頃から潮目が変わってきます。Facebook社に買収されたOculus社が、PCを必要とするHDMI有線接続方式から、プロセッサーを内蔵したPC不要のスタンドアロン方式へと舵を切ったのです。2018年には超低価格モデルOculus Go、2019年には高性能なスタンドアロン型Oculus Quest（以下、Quest 1）を発売し、PS VRに並ぶほどの売上を記録します。

これまではゲーミングPCを所有するハイエンドユーザー向けには高価なPC接続型VRデバイス、お手軽にVRコンテンツを楽しみたいユーザー向けにはスタンドアロン型と棲み分けがされていましたが、Quest1はスタンドアロンとしては過去類を見ないパワフルな処理能力と、PC向けVRデバイスとほぼ同じ操作体系[※1]を備えていました。Oculus GoやGear VRなど、Quest1以前のスタンドアロン型はコントローラーの傾きこそ取得できていましたが、ユーザーの腕の動きに同期してVR空間内の腕を自在に動かすことはできず、19ページで言及した、「この世界に入り込んでる！」と感じるVRの度合いが、PC向けVRデバイスと比べると大きく見劣りしていました。また、PCからのソフト移植を難しくする要因ともなっていました。

コンテンツ移植とメタバースの誕生

これらの問題点が大幅に改善された結果、PCからQuest1に移植されるVRコンテンツが増え、さらにはPCユーザーとQuest 1ユーザーが同じバーチャル空間内で遊べるようになりました。メタバースと呼ばれる、バーチャルなキャラクターを操作して他プレイヤーと同一の空間に入り、彼らといっしょにおしゃべりやゲーム、買い物などをしたりするコンテンツはその１つです。メタバースについてはPart.4で別途詳しく解説しますが、ネットワーク外部性がとても高いコンテンツです。ですから、Quest1の普及が起爆剤となり、メタバースを中心とした家庭用VRコンテンツが2019年から一気に加速した、と筆者は考えています。Quest 1はあとからPCを買って接続するとPC用VRとしても機能するアップデートが行われたことも、ヒットを後押ししました。

※1　インサイドアウト式4目トラッキング＋IMU制御によるカメラ外モーション推定機能

新型コロナで盛り上がるVR

そして2020年、新型コロナウイルス感染症が文字通り世界中で猛威を振るい、世界中の人たちがStay Homeを強いられたことで、自宅で少しでも楽しく過ごそうと考えた人たちが次々とVRヘッドセットを買ったため、VRマーケットが急拡大したのです。米国や欧州の都市が相次いでロックダウンされた4月頃、世界中のマーケットからVRデバイスが一気に品切れとなるほどでした。同様に、日本でもVRヘッドセットを入手しづらい状態となりました。

そして2020年10月、満を持してOculus Quest 2

05 スタンドアロン型のパワフルなVRデバイスの登場

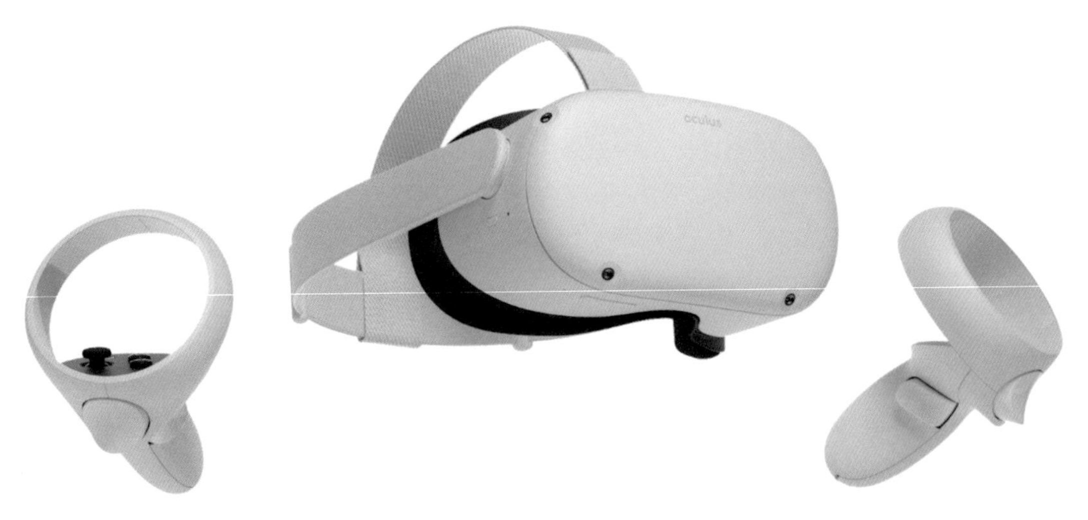

2020年10月に発売されたスタンドアロン型の大本命Oculus Quest 2

（以下Quest 2）が発売されます 05 。スタンドアロン型の大本命との前評判に違わず、価格と性能のバランスが絶妙でヒットを飛ばします。Facebook社はその予約注文数がQuest 1の5倍になったとコメントしているぐらいですから、相当な初速です。日本でも、Quest 1はECサイトのみでの販売でしたが、Quest 2から全国の家電量販店での店頭販売を開始し、手にしやすくなったことも普及に拍車を掛けています 06 。

2020年にはVIVE Cosmos EliteやHP Reverb G2といったPC接続型のVRヘッドセットも相次いで新製品が発売され、後世において2019～2020年あたりこそがVR普及の元年と言われるかもしれません。

06 2020年におけるVRヘッドセットの需要

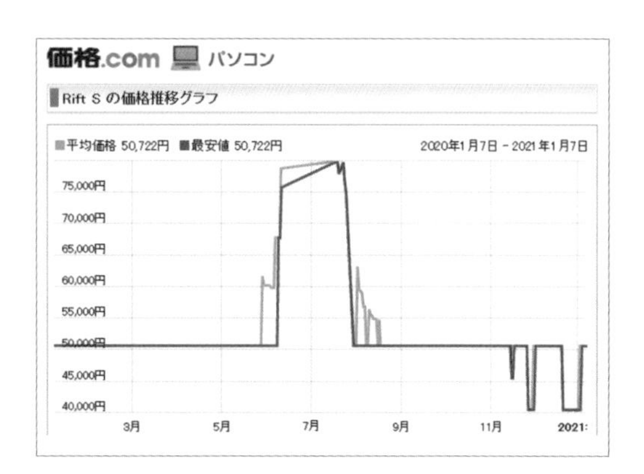

価格.comによるOculus Rift Sの価格グラフ。緊急事態宣言中に在庫が底をついてしまったのか、6月から価格が1.5倍に跳ね上がっているのがわかる
https://kakaku.com/item/K0001215690/pricehistory/

Section

5 B2Bに舵を切った2010年代のAR

**VRとあわせて、ARについても少し遡っておきましょう。
ARには、実用的な利用面で多くの特徴があります。また、現実世界との関わりが難しかった2020年はARゲームにとっては受難の年となりました。**

執筆：岩佐琢磨

VRと重なる2010年代のAR、その後

2010年代のARの歴史は驚くほどVRと重なっています。ARグラスをGoogleが発表し、開発者向けプログラムを公開したのが2013年。奇しくもパルマー・ラッキー氏が初代Oculus RiftをKickstarterの支援者向けに出荷しはじめた年です。そしてVRグラスが百花繚乱となった2016年、ARという言葉を世界中に広めるきっかけとなったスマートフォンアプリ、ポケモンGoがスタートします。

同じく2016年には、マイクロソフト社が初代Hololensの開発者向けエディションを発売しています。2016年はVRだけではなく、ARについても大きく期待された年だったのです。ですがその後4年間、コンシューマー向けARグラスはパッとしませんでした。2018年末に鳴り物入りで登場したスタートアップカンパニーによるARグラス「Magic Leap 1」は期待はずれに終わり、マジックリープ社の株価は全盛期の93%も下落。2019年にはマイクロソフト社がHoloLens 2を発売するも、38万円とB2B用途を意識した価格でした。このような流れからも、2016年からの4年間でARグラスはB2Bへと舵を切ることになったことが見て取れます。

また、新型コロナウイルスの世界的蔓延はARマーケットにとっては厳しい試練となりました。2021年

01 ARゲームの今後は？

**サービス停止が決定したARゲーム　MINECRAFT EARTH
https://www.minecraft.net/article/minecraft-earth-coming-end**

1月、マイクロソフト社はポケモンGo対抗の大型ARゲームタイトルMinecraft Earth 01 のサービス停止を発表。ポケモンGoもそうですが、現実空間を使うARゆえ、人々が気軽に出歩けなくなってしまった2020年は不運の年だったとしか言いようがありません。

かくして、新型コロナウイルスの蔓延によって人々が家に籠もることで伸びたVR、籠もることで苦しくなったARと、ひとくくりにxRと言ってもそれぞれ明暗分かれた1年となりました。

B2Bで花開くAR利用

両手がふさがっている状態ではスマートフォンは使えませんし、手が汚れているときも同様です。ARグラスはそんな状況で威力を発揮することがわかり、ここ数年、工場や建設現場、倉庫などスマートフォンが使いづらい仕事現場で、ARの利用が急速に拡大しつつあるのです 02 。次にやる操作はこれですよ、と投影して操作間違いを防いだり、取扱説明書を常に表示させながら操作をしたり。紙の説明書とちがって風で飛んで行くこともありませんし、網膜に直接映像が飛び込んでくるので、暗いところでも読むことができます。

最新のARグラスを使うと、設計図と連携して現実世界に重ねてバーチャルなマーカーを引くなんてこともできます。電動のこぎりを持って木材に向かうと、ARグラスが木材を認識し、端から35cmのところに「ここを切りなさい」とマーカーを出現させるというわけです。長さを測ってペンでマークする必要がありませんから、作業速度が劇的に向上します。

02 ヘルメット一体型デバイス

株式会社ニコン・トリンブルは、ヘルメットとマイクロソフト社HoloLens 2を一体型とした製品Trimble XR10を販売。現場作業者は、このように映像を現場に投影し作業することができる https://www.nikon-trimble.co.jp/TrimbleXR10/

Section

なぜ、人はVRに「ハマ」るのか

誰もが高性能なVRヘッドセットを手に入れることができるようになった2020年。
VRヘッドセットを試した経験がある方は、おおこれがVRか！ という体験をされたと思います。
ですが、VRの真価は目に見える影像以外にある、ということを解説していきます。

執筆：岩佐琢磨

没入感が高いから「ハマ」る

映画館で見る「スター・ウォーズ」では、ジェダイの騎士がばったばったとファースト・オーダー兵たちを斬っていくのがとても爽快だったのに、家庭用テレビで見たときとは、いまひとつ。そんな経験はありませんか。同じ作品でも音・映像の迫力によって、感情移入の度合いは大きく異なります。

では、スターウォーズのTVゲームを楽しんだときはどうでしょう。これもとても爽快で、映画とはまたちがった、自分の操作でライトセーバーを操り敵を斬っていく感覚を楽しめます。どちらも素晴らしいコンテンツなのですが、VRと大きく異なるのは「身体性」です。敵を斬って行く迫力の音と映像によって、自分は一切操作していないのにまるで自分で斬っているかのように感情を移入させる映画。キャラクターの音と映像がボタン操作とシンクロして動くことで、ただボタンを押しただけなのに大きなセーバーを振るったような感覚を発生させるゲーム。これがVRゲームになると、現実世界で右手を左に払う動作をすれば、映画のように正面から飛来する敵の銃弾を弾き飛ばす、という体験ができます。

これは自分の身体だ、という感覚

VRは3Dで大画面だからすごいんでしょう？　とよく勘違いされがちですが、そうではないのです。映画やゲームと比べてVR体験がいかに爽快であるかを少しアカデミックに表現すると、画面内の手が自分の手であると感じる「身体保持感」と、自分自身の意志で動かせてていると感じる「運動主体感」の２つが圧倒的に優れているから、と言えます。さらには、「自分とコンピュータの生成した環境とが、深さ、方向いずれにおいても矛盾なくシームレスにつながって、あたかも自分が環境に入り込んだような状態を実現する『自己投射性』」(『バーチャルリアリティ入門』)を生むことで、驚くほどの没入感を高めてくれるのです。ちょっと難しい書き方をしましたが、シンプルに言えば「VR空間内のキャラクターが自らの身体の動きと寸分違わず動き、まるで現実世界で本物のライトセーバーを振るっているかのように敵をなぎ倒している感覚」を得られる、と思っていただければよいでしょう。

機器の性能が上がり没入レベルが向上

バーチャルボーイに代表される90年代の第一次コンシューマー向けVRブームのときは、家庭に導入できるような価格や大きさのシステムで、身体保持感・運動主体感・自己投射性を高いレベルに再現することができませんでした。2015年以降はコンピュータのパワー向上、IMU※1の小型化・低価格化などあらゆる要素が揃い、身体の動きを画面内にリアルタイムで反映しつつ、秒間60フレーム(fps)以上の描画が可能になったことで、VRブームが「再来した」のです。90年代のVRが流行らなかった理由の最たるものはこの描画速度だと言われています。描画速度が遅くなると、とたんに自己投射感が大きく減退しますし、VR酔いを引き起こしやすくなるからです。2020年にはスタンドアロンにも関わらず90fps描写ができるOculus Quest 2が発売されたことで、誰もが簡単に「VR空間に対し、違和感なく身体を投射できる」時代がきたのです。

そしてもうひとつ、2010年代にVRが盛り上がった要因として、ネットで繋がった誰かとVR空間を共有して楽しめるインターネット環境が、多くの家庭に普及したからだと筆者は分析しています。オンラインゲームやSNSは以前からあったものですが、VRにおける没入感を高める要素の第一にして最大の要素が「目の前に居るキャラクターに、どこかの誰か(人間)が宿っていること」なのです。

※1 IMUはInertial Measurement Unitの略で、姿勢を検知するためにのセンサー類(加速度センサー・ジャイロセンサー・磁界センサーなど)をひとつにまとめたもの

身体感覚が欺されるほどのリアリティ

VR空間にバーチャルの身体「アバター」としてダイブしている人たちが、みな感じるであろう、おもしろい身体保有感を紹介しましょう。ジェットコースターや、フリーフォールといった遊園地の絶叫アトラクションで高所から自由落下するときに感じる、体がフワッと浮くような感覚を、VR空間でも味わうことができます(次ページ 01)。現代のVRヘッドセットを装着すると、VR空間内で高所から飛び降りるだけでほとんどの人がこの恐怖心を伴う浮遊感を体験することができるのです。

筆者は、あの感覚が加速度によって身体器官に何かしらの動きが伝わることで起こるものだと何十年も思っていたため、VR空間で再現されたときには本当にびっくりさせられました。映画館で俳優が高所

から飛び降りるシーンを見ても、このように感じることはありませんから、最新のVR機器がいかに自己投射性の高いものか、イメージいただけるのではないでしょうか。筆者が特別この感覚に敏感であったり、高いところが苦手であったりするわけではなく、VR空間であの感覚を初めて体験した多くの人が驚きを覚えるようです。

01 VR内で高所に立つ体験

高所からいままさに飛び降りようとするアバターたち。このぐらい高いと、現実で感じるような浮遊感を感じる
(ワールド名:Floationg City WIP、作者:しーわん 氏)

視覚や体感以外の感覚のVR

触覚のVR

VR空間で感じるおもしろい身体感覚については枚挙に暇がありません。一人称視点のテレビゲームで正面から敵キャラクターが放った槍などが飛んできても、あー、当たったら体力ゲージが減るなとは思いますがそれ以上の感覚はありません。VR空間で正面から顔に向かって槍が飛んでくると、当たったら痛いだろうな、と知覚して本能的に(反射的に)避けようとしてしまうのです。そして、当たった瞬間には

痛みを感じたような、変な感覚がするのです。コントローラーの振動と、イヤホンから聞こえてくるリアルな効果音が合わされば、この効果は倍増します。もちろん実際に痛くはないのですが。

似たような感覚は、局部麻酔をされて注射を打たれるところを目でみている、という感覚に似ています。何も感じないはずなのに、刺さる瞬間「痛っ」と感じますよね。

味覚や嗅覚もVRになる

実は人間の感覚器官は視覚を奪ってしまうとかなり騙せるということが、研究によってもわかってきています。東京大学の鳴海拓志准教授らが作った「MetaCookie+」 02 は、ARグラスと匂い発生器を備えてクッキーを食べる実験装置です。匂い発生装置からチョコの匂いを出し、AR機能を使ってクッキーにチョコレートクッキーのCGを重ねると、大多数の実験者がプレーン味のクッキーをチョコレートクッキーだと誤認するのです。

2019年には海外では既存VR機器に取り付ける匂い発生装置がクラウドファンディングで二千万円以上の支援を集めました。とはいっても、匂いカプセルの装着が必要だったりと、まだまだ普及には遠そうではありますが。

02 VRで味覚を再現

MetaCookie+ (Narumi et al. 2011)
http://www.cyber.t.u-tokyo.ac.jp/~narumi/metacookie.html

コト消費のVR化で社会的ニーズは確実に高まる

2017年頃からでしょうか、モノ消費からコト消費への移行だといって、たとえば音楽であれば、CDを買う（モノ）のではなくコンサートに行く（コト）ことに価値があるという消費傾向が話題となりました。企業側も、CDを売っても儲からないが、CDはあくまでコンサートに集客するための撒き餌（ファンになってもらうツール）だという論調です。

2017年から2019年までは、極端にコト消費に舵を切った時代だったと言えるでしょう。もちろんこれは音楽に限ったことではありません。ただ、この時代のコト消費のほとんどは、現実世界で人を一箇所に集めることで実現されていました。

2020年には新型コロナウイルスが蔓延し、コト消費の要である「リアルで集客」が突如できなくなってしまいました。そして何とかがんばってバーチャルな「コト体験」を提供しようと各社が躍起になった年でした。人類の環境適応能力とはこうも高いものなのかと驚きましたが、2019年まではリアルでなければ成立しないと誰もが疑わなかったコト消費が、バーチャルでも成立することがわかってきたのです。

経済産業省の「コト消費空間づくり研究会」では、コト消費について以下のように説明されています。

コト消費とは、魅力的なサービスや空間設計などによりデザインされた「時間」を顧客が消費すること。たとえば、まち歩きや外湯巡りなど。

もちろんこの説明における空間・サービスそして時間は、実世界のことを指しているのですが、VR空間でサービスを提供して時間を消費してもらえば、それはコト消費になるよね、というわけです 03 。筆者をはじめ、ビジネスでVRを見ているプレイヤーたちが、これはVRのビジネス活用がすごいことになるぞ、と感じはじめた主要な理由は「VR空間でコト消費ができる」ことが実証されたからなのです。

03 VR体験はコト消費である

友達とキャンプ

観光

コンサート

（写真提供：写真AC）

バーチャルがリアルを超える

そんなことを言ったって、しょせんは現実世界には適わないでしょう？　という方は、ぜひVR空間により深くダイブしてみてください。そこには現実世界に劣る体験もたくさんありますが、現実空間を超える体験もたくさんあるのです 04 。

武道館の音楽ライブと、バーチャルライブ比べてみましょう。VR空間のライブには3Dのバーチャル空間を用意するコストはかかりますが、武道館貸切りよりは大幅に安いでしょう。しかも、1万5,000人という収容制限も、東京・九段下という場所の制限もなくなり地方や世界のファンが飛行機代もホテル代もかけずに参加できます。トラヴィス・スコットの音楽イベントは、1,200万人以上が同時接続（→72ページ）しました。世界最大の展示会場でも、数十万人を詰め込むのがやっとですから、バーチャル空間の包容力は文字通り桁違いです。

また、現実空間では絶対にできないようなパフォーマンスができます。宙を舞うことだってできるし、特撮ヒーローよろしく0.05秒で衣装チェンジすることだってできてしまいます。もちろんそんな描写はゲームや映像の中ではよくやられてきたことですが、VRの持つ高い自己投射性によって、それとは比べものにならないほど高い体験を与えることができるのです。付け加えるならば、その体験価値はVR技術の発展によって毎年のように、驚くほどのスピードで進化をしていることです。現実空間で行われるコト消費の本質的な価値はここ数十年さほど大きくは変わっていないにも関わらず、です。

果たして5年後にどんなVR体験ができるようになっていて、そこでどんなビジネスが生まれていくのか。それを占うためにも、Part.2で最新のVR機器について知り、現在のVRが与えてくれる体験を知っておきましょう。

04 VRでの体験価値の進化は？

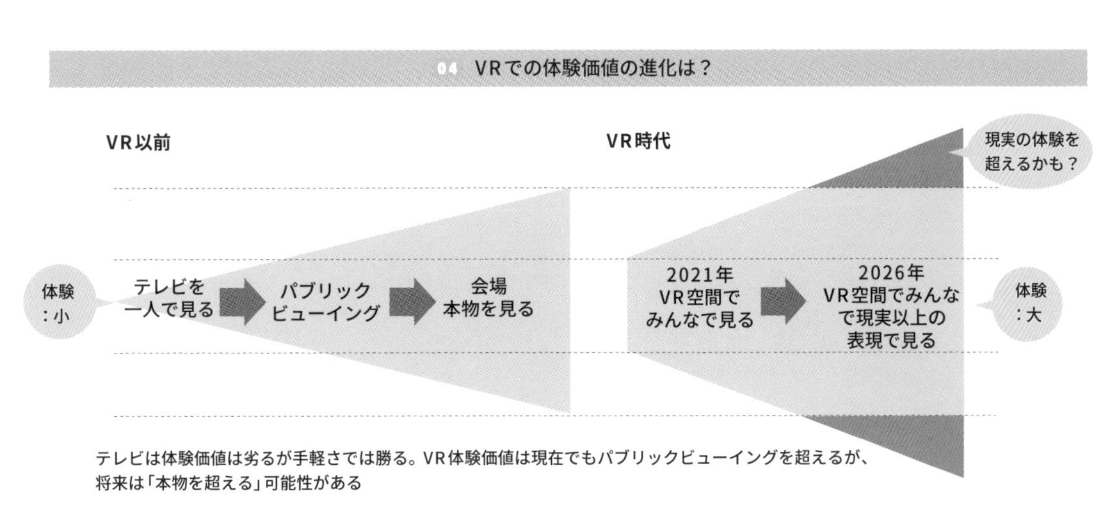

テレビは体験価値は劣るが手軽さでは勝る。VR体験価値は現在でもパブリックビューイングを超えるが、将来は「本物を超える」可能性がある

Column

「バーチャル MC」が考える VR世界でなくなるもの、残るもの

執筆：吉田尚記（ニッポン放送アナウンサー）

はじめまして。私はニッポン放送にアナウンサーとして所属し、VR 世界にバーチャル YouTuber（VTuber）・バーチャル MC一翔 剣（いっしょう けん）という、声がめちゃくちゃよく似た部下を抱えています（お察しください）。

私は1975年生まれで、著名なIT企業の経営者を多く輩出している世代であり、オタクを自認しています。小学生のときに家庭用パソコン「MSX」に触れ、小学1年生の頃から45歳の現在まで、キーボードを触らない日はほとんどありません。インターネットがいまほどビジネス活用されていない時代に、パーソナルコンピューターという「魔法の箱」を使って、遊び心を持ちながらインターネットという未知の世界を体験することができた最初の世代でもあります。

このコラムでは、そんな新しい技術が好きで、現実世界と仮想世界の両方で司会業を仕事にする私の目を通して見た、VR世界ならではのおもしろさをご紹介していきます。

技術の進歩で再発見される価値もある

VRのような先端技術が一般社会に浸透していくと、近い将来、必要とされなくなり、なくなってしまうモノや仕事があるのでは、と不安に駆られる方もいらっしゃるでしょう。確かに、歴史を振り返ると、古くは自動車が普及して馬車がなくなったり、自動改札が登場したことで改札バサミでパンチを入れる光景を目にしたりすることはなくなりました。

その一方で、デジタル化されずに残るモノがあります。たとえば、書店の手描きPOP。同じようなPOPはパソコンを使えば、誰でも簡単で作成できますが、手描きPOPには手描きの文字でしか伝わらない「あじわい」や雰囲気があり、アナログならではの価値が存在しています。

私が働くラジオというメディアも、まさに「なくなってしまうはず」のものでした。日本でラジオが誕生したのが1925年。テレビの本放送が開始したのは1953年。一般の家庭にテレビが普及し、「ラジオは10年後にはなくなる」と言われ……。その後、インターネットが私たちの生活の一部となった現在でも、地上波ラジオはなくなっておらず、最近では「ラジオこそ未来」のような言われ方をすることもあります（このことについて、現役のラジオ局員として思うことはたくさんありますが、ここではいったん筆を止めておきます）。このように、技術が進んでも、アナログのモノ・コトのすべてデジタルに取って代わるわけではなく、進歩することで再発見される価値もあると私は考えています。

Part. 2

VRに触れてみよう

Section

VR・AR・MRで必要になる機材

**Part.1で見てきた「xR」の概念を大まかにでも理解したら、
実際にxRをはじめてみましょう。
そのためにはいくつかの準備が必要になります。**

執筆：武者良太

1台ですべてを体感できる機材は存在しない

まずは、VR・AR・MRができるディスプレイを用意しなければなりません。それぞれのコンテンツを見るだけなら、スマートフォンやPCのディスプレイでこと足ります。ただ、それではxRが本来備えている没入感の高さからくる一体感は味わえないため、専用のディスプレイを用意したいところです。

現時点でVR、AR、MRすべてを体感できる機材は存在しません。そのため自分が体験したいxRに合わせた専用ディスプレイを用意する必要があります 01 。

なぜ共通の機材が存在しないのでしょうか。その理由は、VRはCGで描かれた仮想空間内を見ながら動けること、AR・MRは現実世界にCGで情報を付加する、という特性に関係しています。

ニーズの違いと発展性

VR用ディスプレイはCG描写の精密さ、視界の広さを追求するとともに、現実世界の景色が見えないように周囲の視界をシャットアウトする構造が求められます。そのために目の周囲全体を覆う、スキー・スノボゴーグルのようなヘッドセットスタイルのものが一般的です。

これに対しAR、MRは現実世界に情報を付加することが求められるため、メガネ型スマートグラスの形状で視線の先を見通せる軽量構造のものが主流です。VR用でもARグラス、MRグラスのような軽量ディスプレイの登場に希望を持つ人は多く、今後は小型化が進むことが予想されます。なおパナソニックがCES 2021 Panasonic in Tokyoで展示したVRグラスは、厚みこそあれどメガネ型と言えるもので、今後の展開に期待します。

AR、MRデバイスに関しては、工場や医療現場といった業務用途での利用が想定されているシーンでは軽量なディスプレイが強く求められていますが、それとは逆に、大型のヘッドセット型機材の需要もあるようです。これはVRデバイスと同じようにCG部分の精細な描写性能を求めたもので、エンターテインメントの世界で使われていく可能性があります。もしかしたら今後はxRすべてのコンテンツが楽しめるオールインワンデバイスが登場するかもしれません。

簡易型のディスプレイ

スマートフォンを差し込むヘッドマウントディスプレイであれば、スマートフォンのメインカメラ・ディスプレイを使ったVR、AR、MR体験が可能です。

このタイプで体験できるコンテンツのクオリティはここ数年来進歩がなく、数も限られます。VRヘッドセットを被った状態ではディスプレイ部にタッチしづらく、頭を動かして周囲を見渡すくらいの操作しかできませんし、画質にも難があるという大きなデメリットもあります。一方で、ひとつ数百円〜と安価というメリットもあります。100円ショップでもダンボール型の簡易VRヘッドセットが売られていることがあるので、もしxRがどういったものなのかを体験してみたいのであれば、試しに購入してみるといいでしょう。

01 VR・AR・MR用ディスプレイの種類

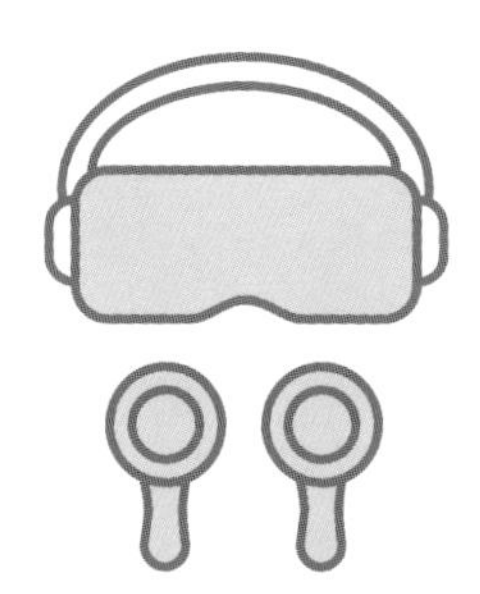

VRはゴーグルタイプが主流。ヘッドマウントディスプレイ、略してHMDと呼ばれることもある

AR・MRはメガネタイプが増えてきている

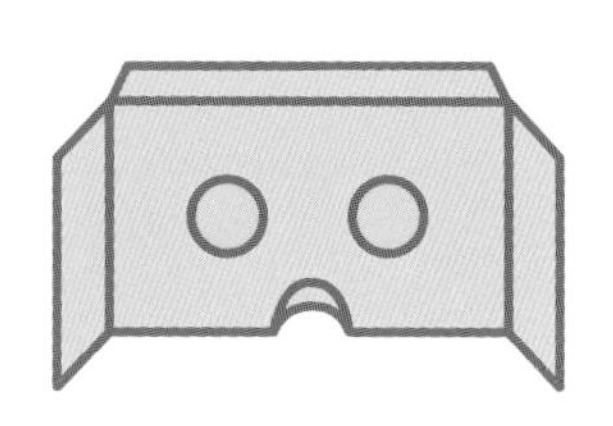

スマートフォンを差し込んで使用する簡易型のゴーグルもある

Section

2 VRの基本的なデバイス構成

**VRへの入り口となるデバイスがVRヘッドセットです。
数多くの製品があり、どれも似た形状をしていますが、性能には大きな差があります。
ここではVRヘッドセットの見分け方・使い方をご紹介します。**

執筆：武者良太

VRヘッドセットの種類

人間の五感を刺激して認知を拡張するVRを体験できるデバイスには様々なものがあります。もっともポピュラーなものはヘッドセット型のVRデバイスです。本書では主にVRヘッドセットと呼んでいます、VRヘッドマウントディスプレイ、VRグラス、VRゴーグル、VR HMDなど様々に呼ばれます。市販されている多くのVRヘッドセットには、映像を表示するディスプレイパネル、目の焦点をあわせるためのレンズ、音を再生するスピーカーなどの部品が組み込まれており、視覚と聴覚を刺激することができます。以下、本書ではこのVRヘッドセットを用いたVR体験やVRビジネスなどについて触れていきます。

VRヘッドセットの種類

スノーボード用ゴーグルより大きなサイズのVRヘッドセットは、各社から様々な製品が発売されています。中には100円ショップで売られている製品もあります。色のバリエーションはあれど、どの製品も似た形状をしており、どんな製品でも入手すれば同じ体験ができるものと考えてしまいがちですが、実は性能に差があります。

スマホが必須なVRヘッドセット

まず数百円～数千円で販売されているVRヘッドセットは、最も低機能なローエンドVRヘッドセットです。実はディスプレイパネルが入っていません。スマートフォンを差し込み、スマートフォンの画面をディスプレイ代わりとして使います。

体験できるコンテンツはスマートフォンアプリで提供されているものとなります。iPhone、Androidともに各アプリストアでダウンロードできるアプリ数は多く、VRヘッドセットでどういった映像を見ることができるかを知るには、十分な役割を果たしてくれます。

しかしPart. 1で解説した、そしてPart. 3以降で解説するVRならではの体験を得ることはまずできません。必要な機能が満たされていないため、ビューワー専用機になるものだと考えてください 01 。

単体で動作する一体型VRヘッドセット

3万7,100円〜で購入できるOculus Quest 2を代表格とした数機種は、一体型VRヘッドセット・スタンドアローン型VRヘッドセットと呼ばれる製品です。内部にスマートフォン向けの部品が組み込まれており、Wi-Fiを用いて専用のアプリストアからダウンロードしたコンテンツを本体内にインストールし、他のデバイスに接続することなく単体で様々なVRコンテンツを体験できます。VRヘッドセットとしての性能はミドルクラスですが、メタバースにログインして自分のアバターで3DCGの世界内を自由に動きまわり、他のアバターと会話できます。手軽にリッチなコンテンツを体験することができることから、もっとも注目されているデバイスと言えます 02 。

PCなどが必要なVRヘッドセット

その他のVRヘッドセットは、PCや据え置きゲーム機と接続するタイプです。頭脳の部分を外部のデバイスに任せることで、一体型VRヘッドセットよりも美しい映像を見て、より没入感の高いVR体験ができるように作られています。

特に差がわかりやすいのが、VR空間でのコミュニケーションが楽しめるVRChatです。PCと接続したVRヘッドセットならば、一体型VRヘッドセット版VRChatでは入れないワールドにログインできますし、一体型VRヘッドセット版VRChatでは規定のロボットの形でしか表示されない、細部まで作り込まれたアバターを身にまとうことができます。

なお一体型VRヘッドセットのOculus Quest/

01 スマホが必須なVRヘッドセット

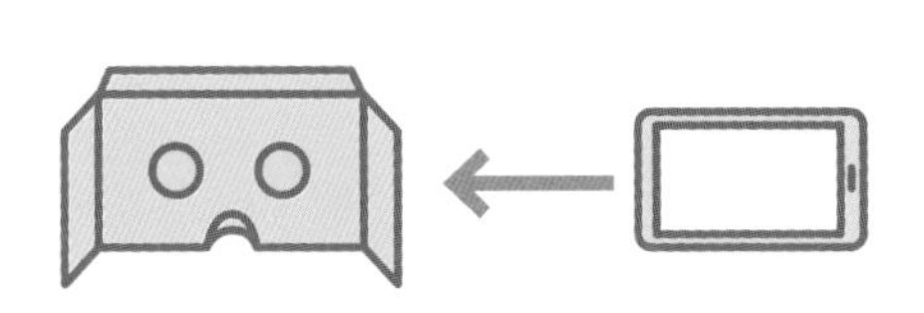

スマートフォンの挿入方式は、VRヘッドセットによって異なる。綿密にセッティングしないと左右の目で見える角度が異なってしまうので要注意

02 ワイヤレスになったVRヘッドセット

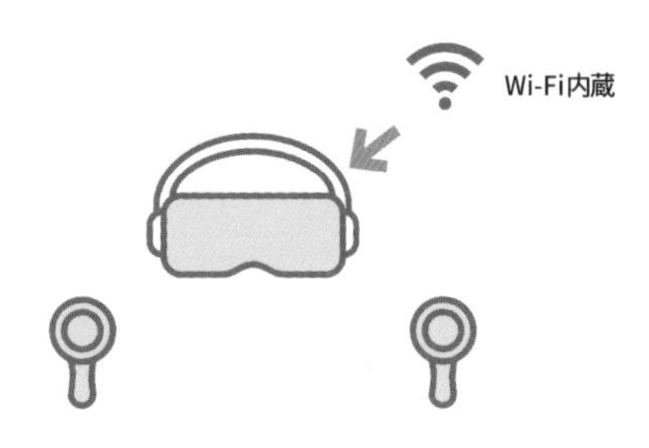

Wi-Fi機能を持ち、無線LANルーターなどを経由して独自にVRコンテンツをダウンロード＆インストールできる一体型VRヘッドセット。扱いが最も簡単

Quest 2は、PCと接続する機能を持っています。そのためOculus Quest 2を入手し、あとからPCを用意することで、VR体験のクオリティを高めることができます 03 。

03 PC接続するタイプ

映像処理にPCなどのデバイスを必要とするVRヘッドセット。システム全体が大掛かりなものとなるが、体験できるコンテンツのクオリティは最も高い

●高スペックのPCが必要になる環境

VRヘッドセットと接続し、VRコンテンツを実行するためのPCですが、どんなPCでもいいというわけではありません。Officeの各アプリを動かすためのスペックがもたされているビジネスノートと呼ばれるようなPCの場合、あきらかに要件を満たしません。VRヘッドセットには2枚のディスプレイパネルが入っており、それぞれを右目・左目に見せることで立体感を表現します。常に2系統の映像出力を行うため、通常よりも高い負荷がかかるのです。

指標となるのがVR Ready/Radeon VR Readyです。VRコンテンツを動かせるスペックを持ったPCに与えられるNVIDIA社とAMD社の認定証のようなもの。具体的には左下のシステム要項を満たしたものがVRコンテンツに対応していると考えましょう。

- OS：Windows 7 SP1、8.1、10
- CPU：Intel i5-4590/AMD FX 8350以上
- メモリ：4GB以上のRAM
- GPU：NVIDIA GTX 970、AMD Radeon R9 290以上

ここで気づかれた方もいるでしょう。実はアップル社のMac製品は対応していません。Mac OSでもVRコンテンツを動かせないことはないのですが、ハードウェアスペックを満たすMac製品も、対応アプリも極めて少数であり、現実的ではないのです。

「ゲーミングPC」という名前にご注意

Windows PC製品の中に、ゲーミングPCと呼ばれる製品があります。美麗な映像表現ができるように、高性能なCPUとGPUを搭載しています。しかしすべてのゲーミングPCがVRコンテンツに対応しているわけではないのです。

もしも手元に、ゲーミングPCがある場合、ゲームメーカーのValve社が提供しているチェックアプリ「SteamVR Performance Test」（無料）を使ってシ

ステム要項を満たしているかどうか確認してみましょう 04 。もしも満たしていないときは、GPUやCPUなど、どの部品のスペックが足りないかを教えてくれます。

ノートPCとデスクトップPC

ハイパワーなPCといえばデスクトップPC。という図式は過去のもの。近年は、VRコンテンツを実行できるだけのGPUやCPUを搭載したノートパソコンも増えてきました 05 。

価格だけを比べると、コストパフォーマンスに優れているのはデスクトップPCです。とりあえずVRができるだけのスペックを持つ製品は8万円台から購入できますし、12万円台からの製品であればレイトレーシング表現を活かしたVRコンテンツも楽しめます。またGPUやCPUを交換できるものが多く、将来的なスペックアップが可能です（次ページ 06 ）。ただし大きく重く別途ディスプレイやキーボードも必要となり、可搬性は皆無です。

ノートPCはオールインワンなパッケージゆえに、設置場所に困らず持ち運びもできるといったメリットがあります。価格も実は10万円台からVRコンテンツが実行可能な製品が用意されています。ただしGPUやCPUが交換できるものは20～30万円台と、高価な製品のごく一部に限られます。

04 SteamVR Performance Test

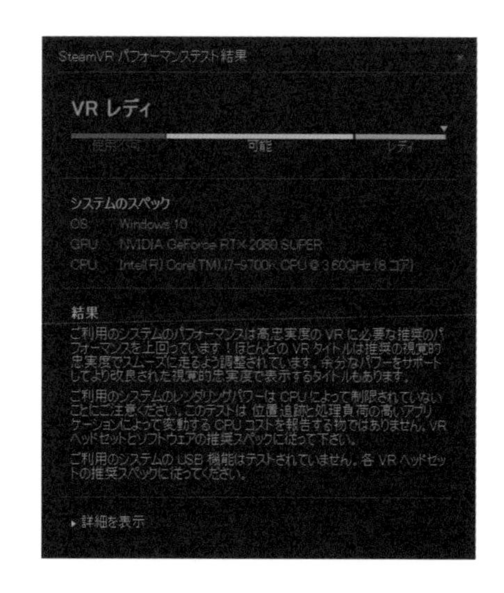

05 VR用のPC選び

タイプ ＼ 比較項目		デスクトップPC	ノートPC
メリット		コストパフォーマンスが高い	オールインワンで扱いやすい
		後から部品のアップグレードが容易	可搬性が高く持ち運びに便利
デメリット		設置面積が広い	コストパフォーマンスが低い
		可搬性に欠ける	後からスペックのアップグレードが容易でない。基本的には無理

06 推奨GPUリスト

NVIDIA	• GeForce RTX 3090, 3080, 3070, 3060 Ti, 3060, 2080 Ti, 2080 Super, 2080, 2070 Super, 2070, 2060 Super, 2060 • GeForce GTX 1660Ti, 1660, 1660 Super, 1080Ti, 1080, 1070, 1070 Ti, 1060, 980Ti, 980, 970 • Quadro RTX 8000, 6000, 5000, 4000 • Quadro P6000, P5000, P4000 • Quadro M6000, M5500, M5000 • Quadro K6000 • Quadro Mobile RTX 6000, 5000, 4000, 3000 • Quadro Mobile P5200, P5000, P4200, P3200 • Quadro Mobile M5500 • Quadro GP100, GV100
AMD	• Radeon VII • Radeon RX 6900, 6800 XT, 6800, 5700 XT, 5700, 5600 XT, 5600, 5500 XT, 5500 • Radeon RX Vega 64, Vega 56 • Radeon RX 590, 580, 570, 480 • Radeon R9 Fury, Fury X • Radeon R9 Nano • Radeon R9 390, 390X • Radeon R9 290, 290X, 295X2 • Radeon Pro WX 9100, 8200, 7100 • Radeon Vega Frontier Edition • Radeon Pro Duo, SSG • Radeon FirePro W9100

●据え置きゲーム機と連携するVRヘッドセット

記事執筆時点で最も販売台数が多いと言われているVRヘッドセットはPlayStation VR(PS VR)です。PCではなくPlayStation 4/5 (PS4/5) と接続して使用します 07 。

実行できるVRコンテンツは、PS4/5に対応しているものだけに限られます。1～4人でプレイするゲームの数が多く、VRの映像表現及びバーチャルな世界に没入している感覚を体感するためのデバイスとしては優れています。しかし、VRによるメタバースを実感しやすいVRChatは基本的に利用できません(Oculus Quest/Quest 2のようにPCと接続する方法はあるのですが、難解です)。

07 PS VRのセットアップ

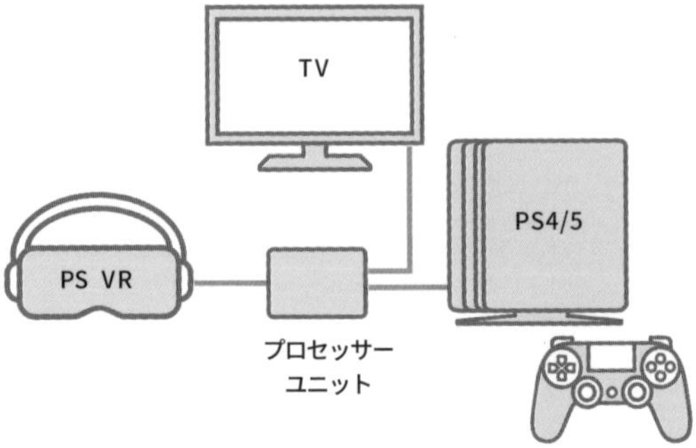

据え置きゲーム機のいち周辺機器となる。TVやディスプレイがなくてもVRコンテンツは楽しめるが、VR以外のPS4/5のコンテンツが遊びにくくなる

センサーはVRヘッドセット内蔵式と外付け式がある

VR空間内で、自分の動きや位置をアバターに反映させるトラッキングセンサー（カメラ）には、インサイドアウト方式とアウトサイドイン方式があります。現在普及しつつあるインサイドアウト方式は、VRヘッドセット内に組み込まれたカメラが周囲の環境を捉え、ユーザーの頭とコントローラの位置・動きを計測するもので、外部センサーは不要です 08 。主な採用機種にOculus Quest/Quest 2、Oculus Rift S、HTC Vive Focusがあります。

アウトサイドイン方式は周囲にセンサーを設置し、ユーザーの動きを計測します 09 。トラッキング精度が高く、VRヘッドセットに組み込むパーツが少なくなり、小型軽量な製品に仕上げやすいメリットがある反面、接続するケーブルが増える・同じ場所で複数ユーザーがVR空間に入りにくい（センサーの認識ズレが発生しやすい）といったデメリットがあります。主な採用機種にVIVE Cosmos Elite、PS VRがあります。

08 インサイドアウト方式

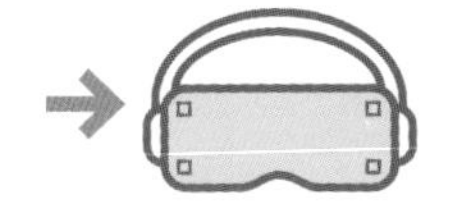

VRヘッドセット内蔵センサーがユーザーの頭の位置、動きを計測するため、外部センサーは不要

09 アウトサイドイン方式

センサー
カメラは別置き

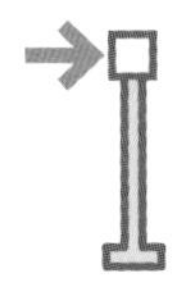

別体式の外部センサーを部屋の中に設置して、ユーザーの頭の位置、動きを計測する

インサイドアウト方式は測定範囲が狭い

VRヘッドセット内に組み込まれたカメラが、コントローラの位置も測定するインサイドアウト方式は、導入が簡単で使いやすいというメリットがある反面、大きなデメリットもあります。それはコントローラを持つ腕を、カメラの死角となる背中や腰の下などに動かしても認識されないことです。VRヘッドセットで見ている範囲からも見えないため、実際の利用上は問題ありませんが、他のユーザーが自分のアバターの動きを見ることができるVRChatなどのアプリ上では、不自然な動きをしていると思われてしまうことがあります。この点においては、コントローラの位置を的確に測定してくれるアウトサイドイン方式のほうが優れています。

Section

3 PCとVRヘッドセットの接続方法

PCとの接続が前提のVRヘッドセットは有線接続が必須となります。
しかし単体でも動作する一体型VRヘッドセットの中には、
有線と無線の接続に対応した製品があります。それぞれの方法のメリットをご紹介しましょう。

執筆：武者良太

USB Type-Cケーブルで有線接続をする

最初期のVRヘッドセットは、PCとの接続に4本ものケーブルを使用していました。3本はUSBケーブル、もう1本はHDMIケーブル。これだけ多くのケーブルを用いなければ、PCからVRの映像を送り、VRヘッドセットから位置情報やコントローラの操作信号を送れなかったのです。ときは変わって現在は、USBケーブル1本もしくは、USBケーブルとDisplayPortケーブルの2本ですべての信号を送り合うことが可能となりました。

ここではUSBケーブル1本で接続できるVRヘッドセットについて説明しましょう。椅子に座りながら利用する場合は最低でも2m、可能なら3mのUSB Type-Cケーブルを用意します 01 。安価なケーブルは転送速度が足りずに使えないことがあるので、Twitterなどで「USBケーブル VR」「USBケーブル Oculus」といったワードで検索し、口コミ情報を参考に選びましょう。

立って歩きたい場合は、最低でも5mのケーブルを選びます。こちらも口コミ情報を参考に選ぶ必要があります。なおリレーアンプ/リピーター機能を内蔵したUSB延長ケーブルを用いることで、10m以上のケーブル環境を作ることが可能です。

実際に接続する際ですが、デスクトップPCを使っている場合は前面にあるUSB端子ではなく、背面に

01 有線接続用のUSB延長ケーブル

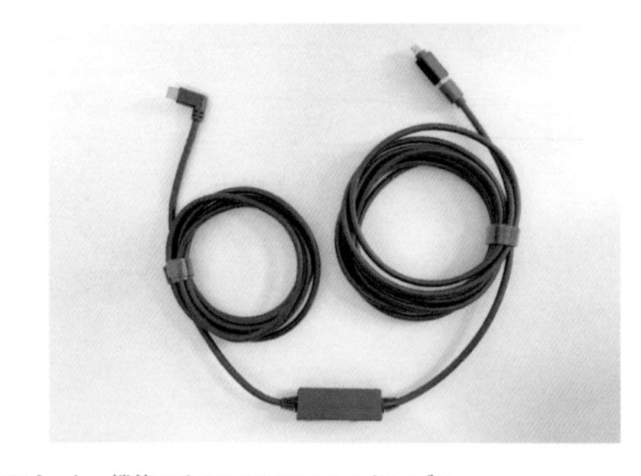

リピーター機能つきのUSB Type-Cケーブル

ある USB端子を使いましょう 02 。内部のマザーボードと直結している端子ゆえに、安定性が高まります。また PC側が長細く四角い端子（USB Type-A）しかない場合は、端子内部が青・水色・オレンジなど黒以外のもので、SuperSpeed USBロゴ（SSまたはSS10のマーク）のある端子に挿しましょう。

Wi-Fiでワイヤレス接続をする

今後、VRヘッドセットとPCのスタンダードな接続方法となりえるのがワイヤレス接続です 03 。ワイヤレス機能を備えた一体型VRヘッドセットにSideQuestというアプリを用いてPCの画面をVRヘッドセット側で表示できるアプリ、Virtual Desktopをインストール。また PC側に Virtual Desktop Streamerをインストールすることで、ケーブルを使わずとも VRヘッドセットと PCを接続することが可能になります。

最大のメリットは、PCと離れた場所で VRヘッドセットが使えること。書斎ではなくリビングで、オフィスの事務エリアではなく会議室で、いちいち PCを移動させなくとも広い空間で VRの世界に入り込めます。またケーブルがないため、何度振り返っても大丈夫。スポーティなコンテンツも思う存分堪能できます。

ただし注意すべき点は、無線LANルーターのスペックです。少なくとも Wi-Fi 5（IEEE 802.11ac）、可能なら Wi-Fi 6（IEEE 802.11ax）に対応した製品が必要です。

02 USBケーブル

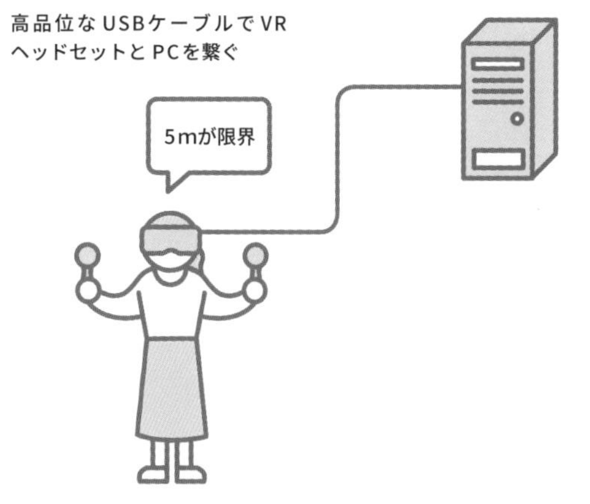

USBケーブルの長さは基本的に 5mが限界。デスクトップ PCの場合は、本体前面の USB端子より背面の端子に接続したほうが安定する

03 無線 LAN

Section

4 身体全体の動きを反映できるフルトラッキング

一般的なVRヘッドセットは、VRヘッドセット及び両手のコントローラで頭部、両手という計３箇所の動きを検出し、アバターに反映させます。足や腰などに自然な動きを反映させたいときは、さらに多くのセンサーデバイスを身体に装着する必要があります。

執筆：武者良太

センサーデバイスの数で動きが変わる

VRChatなどの世界の中では、自分より、周囲のアバターよりもはるかに生き生きとした動きができるアバターがいます。一挙手一投足がまるで生身の身体のようで、中にはブレイクダンスのパワームーブのような、激しい動きをしているアバターもいます。

彼らが使っているのは、フルトラッキング（フルボディトラッキング、フルトラ）のシステム。VRヘッドセットと両手のコントローラ以外にも、Viveトラッカーなどのセンサーデバイスを身体の各部に装着し、身体全体の動きをアバターに伝えるシステムです。

CG映画などの映像制作技術のひとつに、モーションキャプチャーがあります。各部にセンサーを縫い込んだスーツを着込んだ役者の動きを記録し、CGキャラクターに反映させるシステムです。VRの世界で使われているフルトラッキングのシステムも原理的には同じものです。

動きの細かさは、装着するセンサーデバイスの数によって変わります。1つの場合は腰に付けることが

01 センサーデバイスの数

多く、しゃがんだときなどの腰の高さを計測できます。ラケットなどにセンサーデバイスを装着し、手に持っているアイテムの動きをしてVR空間内に反映させる使い方もあります。2つの場合は脚の両つま先に装着するのが一般的。歩いているときに自然なモーションとなります。3つ装着するときは、腰とつま先に装着するケースが多いです。さらに5つのセンサーデバイスを装着するならば両肘、腰、両つま先に。7つであれば両膝にも装着します 01 。

部屋にセンサーを設置しなくても使えるHaritora

センサーデバイスで一般的なViveトラッカーですが、位置情報を検出するために51ページで紹介したアウトサイドイン方式のセンサー（ベースステーション）を部屋に設置する必要があります。もともとアウトサイドイン方式のVRヘッドセットを使っているなら問題ありませんが、インサイドアウト方式のVRヘッドセットを利用している場合、導入がやや面倒です。そこで、部屋側のセンサーがなくても下半身の動きをアバターに反映させることができるセンサーデバイスも登場しました。

そのひとつであるHaritoraは、腰、両膝、両つま先に装着するジャイロセンサーと、各センサーの情報を受け取る小型コンピュータ(M5Stack)やLANケーブル、モバイルバッテリーで構成されます。ユーザー自身による組み立てやファームウェアの書き込みが必要となりますが、手軽であることは事実です 02 。

またフルトラッキングの方向性のひとつとして、眼球の動きを検出するアイトラッキング機能つきVRヘッドセットや、5本の指先の動きを検出するグローブ型デバイスも存在します。VR空間内における演劇やアートパフォーマンスの可能性を広げてくれるデバイスとして、注目しておきたいところです。

02 実際のセンサーデバイス

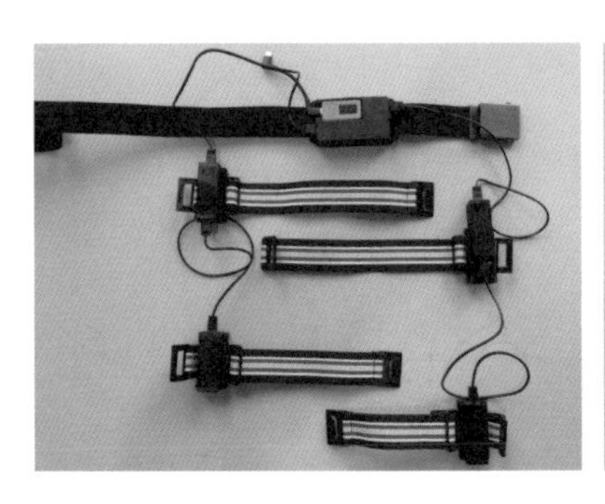

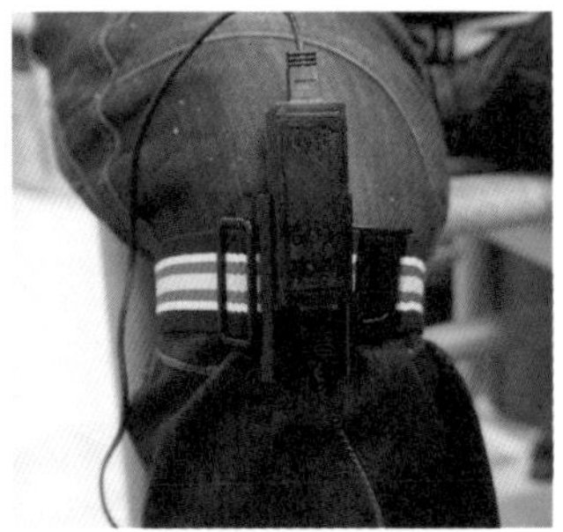

インサイドアウト方式のVRヘッドセットでも、フルトラッキング環境を構築しやすいセンサーデバイスが普及しつつある（写真はHaritora）

Section

5 臨場感・没入感を向上させるキーテクノロジー

VRにおいてキーテクノロジーと言えば高視野角・高精細なHMDや
6DoFを実現するハンドコントローラなどが挙げられます。
ここではそれら以外の臨場感・没入感を向上させるキーテクノロジーを紹介します。

執筆：田中奈緒

ハプティクス

ハプティクスとは振動などを身体にフィードバックすることによって、触覚を再現するための技術の総称です。VRにおいて身体性（脳内イメージと五感をマッチする手段）を実現するキーデバイスとしてハプティックデバイスに注目が集まっています。

ハプティクスの主要な理論として、三原触（さんげんしょく）理論が提唱されています。JST（日本科学技術振興機構）における身体性メディアプロジェクトでは「振動・力・温度」の三要素※1により多様な触感覚を再現するとしています。一方、産業技術研究所

01 ウェアラブルデバイスによる触覚再現デバイスの例

国内外のスタートアップ企業が開発を行っている。手の甲のアクチュエータで触感再現を行っている

02 VR用ハンドコントローラによるハプティクス

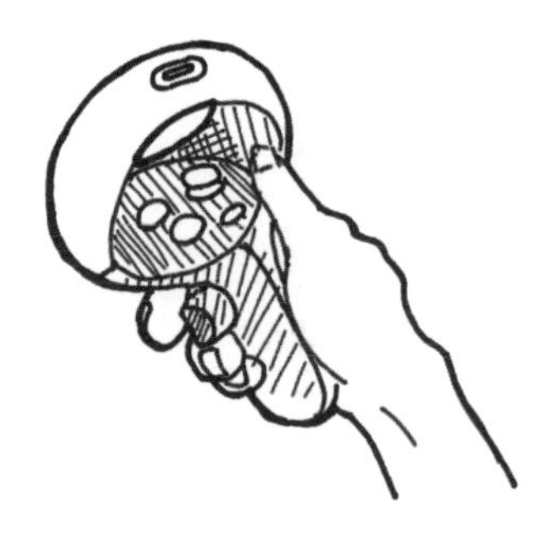

ハンドコントローラ内にハプティクスデバイスを搭載することで触感覚を再現している

中村則雄主任研究員は「圧覚（硬さに関する感覚）・触覚（表面の凹凸に関する感覚）・力覚（反発に対する感覚）」の三要素※2により多様な触感覚を再現するとしています。

ハプティクスデバイスは主に「偏心モータ」「リニアアクチュエータ」「ピエゾ素子」を利用したものが存在しており 01 02 、それぞれ価格・サイズ・応答性などに違いがあるため、用途に応じて使い分けられています。

※1 身体性メディアプロジェクト
https://tachilab.org/book/index_ja.html
※2 中村則雄主任研究員紹介ページ
https://unit.aist.go.jp/hiri/topics/05.html

ロコモーションインタフェース

ロコモーションとは、身体の移動のことを示します。仮想空間内の空間認知には歩行感覚の再現が重要とされています。

VRでは被験者の視界を覆うHMDとそれを制御するハイエンドPCを接続して利用することが多く、USBケーブルの長さにより物理的に体験可能な空間サイズが限られます（→52ページ）。被験者の体験スペースをHMDをつけたまま移動することも安全性の観点で体験可能な空間サイズを制限すべきです。ロコモーションインタフェースは仮想的に歩行移動を実現することで、被験者が同じ場所に居ながらにして体験空間を拡張することが可能なデバイスと言えます。

ロコモーションインタフェースは1980年代から世界的に研究が行われており、筑波大学ではカメラによるトラッキング用マーカを取り付けた低摩擦の靴を履いて円形フレームの中で歩行感覚の再現を行う装置の開発が行われていました 03 。

これは現在発売されているVirtuix社のOmni OneやKAT VR社のKAT Walk Cなどの主要なロコモーションインタフェースの原型とも言えます。

現在、次世代型ロコモーションインタフェースとして体を動かさずに歩行感覚の再現を目指した研究が国内外で行われています。

03 ロコモーションインタフェースのイメージ

既製品の中には体幹部を固定した状態で摺動性の高い靴とベースによる疑似的な歩行動作を検出するものもある

プロジェクションVR

HMDを用いないVRとして、壁や天井、床などに全天映像を映し出すシステムが商用化されています。その代表的なアプリケーションとしてテーマパークのアトラクション、住宅販売の内覧などが挙げられます 04 。

VRを体験するときにHMDの装着感（締め付け・重さ）に対する違和感を覚える被験者もいます。商業利用などで不特定多数が利用するVRの場合、消毒などを行ったとしても衛生的観点でHMDの利用に抵抗を覚える被験者も居るでしょう。この対策としてプロジェクションVRはHMDを用いないVRとして研究・開発が進められています。

WorldViz社のプロジェクションVRシステム（VizMove）はモーショントラッキングとアイトラッキングを使い仮想空間内を移動したりなどのインタラクション性を高めています。

これ以外にもユニークな活用事例としては、オタワ病院Rehabilitation Virtual Reality Labのプロジェクション VRとロコモーションインターフェースを組み合わせた歩行リハビリシステム※1があります。

※1オタワ病院のプロジェクションVR紹介ページ
https://www.ottawahospital.on.ca/en/clinical-services/deptpgrmcs/departments/rehabilitation-centre/about-the-rehabilitation-centre/our-facilities/rehabilitation-virtual-reality-lab/

04 プロジェクションVRのイメージ

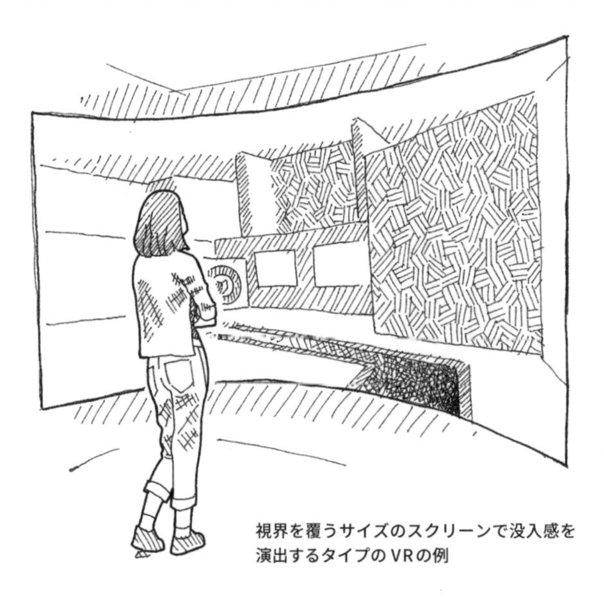

視界を覆うサイズのスクリーンで没入感を演出するタイプのVRの例

モーションベース

モーションベースは臨場感を高めるために、身体にかかる加重を再現するデバイスです 05 。

VRにおいて臨場感の向上は、体験の質を高める上で重要なファクターです。たとえば、「HMDが表示する映像の表示速度が低い」「仮想空間で発生する音の立体感が低い」「頭部に装着したHMDとの接触面の隙間から現実の景色が見える」「移動時に体全体にかかる加重（加速度）がない」などの要因で臨場感が低下します。モーションベースは体全体にかかる加重を再現することで臨場感を向上させるデバイスと言えます。

椅子に取り付けた油圧アクチュエーターが6DoF※1で傾き・振動を再現するといった製品がアミューズメント目的で販売されています。

大掛かりな実装例として、筑波大学のバーチャルリアリティラボでのプロジェクションVRとワイヤー懸架式モーションベースを組み合わせて空中移動感覚を再現するという研究が挙げられます※2。

※1 ロール・ピッチ・ヨーの３つの角度量とXYZ方向の移動量を合わせて６つの自由度を表現可能であることを示す用語

※2 筑波大学のモーションベース施設
http://eva.vrlab.esys.tsukuba.ac.jp/archives/663

05 モーションベースのイメージ

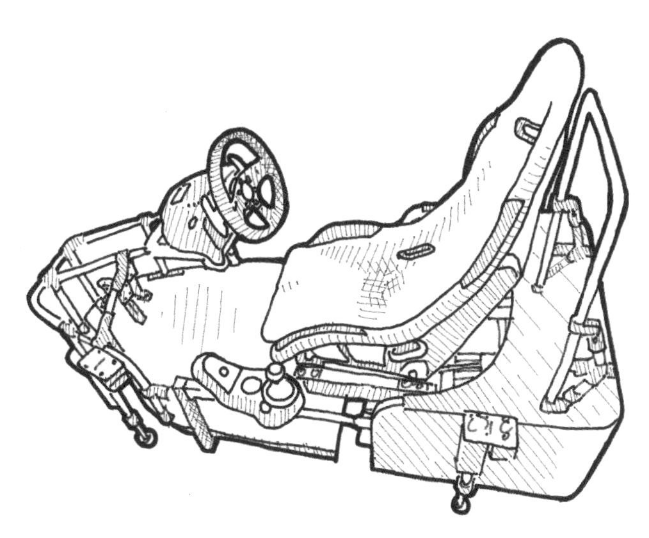

現在最も普及しているものとして自動車ゲーム向けモーションベースが挙げられる

Column

VRでしか体感できないライブイベントの楽しみ

執筆：吉田尚記（ニッポン放送アナウンサー）

VR空間では、現実世界と同じように様々なエンターテインメントが提供されています。

2018年ごろから、VR世界でもかなりの数のライブイベントが開かれています。単に人が集まるだけではなく、現実世界のイベントを同じように、あらかじめプログラムを組み、音楽演奏やトークを楽しんでもらう形態のものが、多様な規模・形態で行われています。

オンラインゲーム「Fortnite」では、アメリカのDJ・マシュメロやラッパーのトラヴィス・スコット、日本では米津玄師がコンサートを行い大きな話題になりました。

私自身も、VTuberのオンラインライブに観客として参加したり、いくつかのイベントでは、バーチャルな司会者としてイベント進行の役割を果たしたりしました。こうした経験上、配信ライブがまだ現実世界のライブを超えられていないのに対し、VRでのライブは現実のライブの代替物ではなく、実際のライブの拡張物という感想を持っています。

現在世界では不可能な試みも可能になる

たとえばclusterというバーチャルSNSサービスで、ソードアート・オンラインのイベントのバーチャル司会を担当したとき、VR空間に用意されたステージは存在しましたが、出演者の声優の方々が舞台から飛び出し、お客さんの波を掻き分け会場のコンソールまで進み、その上に立ってトークを繰り広げるという現実のイベントでは起こり得ない楽しいものになりました。

現実のイベントでは、タレントである出演者が参加者と数センチの近さに立ったり、落下が心配な場所に立ったりすることは、まずあり得ませんが、VRであれば問題ありません。

また、VR世界のライブハウスやコンサート会場では、建物の設計や派手な演出効果などに原理的にコストがかかりません。私が印象に残っているのは、あるライブを指揮している方が「いやー、テンション上がっちゃったので流れ星流しちゃったよ」と言っていたこと。現実世界でライブに合わせてDJが音楽をプレイし、VJが映像をコントロールしたように、VR世界ではワールド（その世界そのもの）をジョッキーする「WJ」とでも呼ぶべき存在が出現しはじめています。

他にも、アーティストが100倍のサイズに巨大化することもできれば、一気に数千人に分身することだって可能です。想像したことをすべて具現化し、観客に届けることができるVR世界の演出の可能性には、圧倒されざるを得ません。

Part. 3

VRビジネスの動向

Section

VRによるビジネスの変化

本Partではビジネスについて解説していきます。
この最初のSectionでは、「VRによる既存ビジネスの変化」が
いかに起こっていくのか、概要を紹介していきます。

執筆：滝川洋平・岩佐琢磨

従来のビジネスがVRで変化する

少し堅苦しい話になりますが、VRは3Cと3Eのための道具と言えます。3Cとは、Creation（創造）、Control（制御）、Communication（コミュニケーション）であり、3EはEntertainment（娯楽）、Education（教育）、Elucidation（解明）です 01 。これらを組み合わせることで、現実空間だけではできなかったことが可能となり、本Partに登場する様々なビジネス事例が生まれています。

従来型ビジネスを補完するVR

VRがビジネスをどう変えるか？を考えるとき、大きく2つの方向からアプローチするとよいでしょう。ひとつ目は、従来のビジネスにVRによって＋αの価値を与えるという考え方です。これはとても容易い

01 VRの3Cと3E

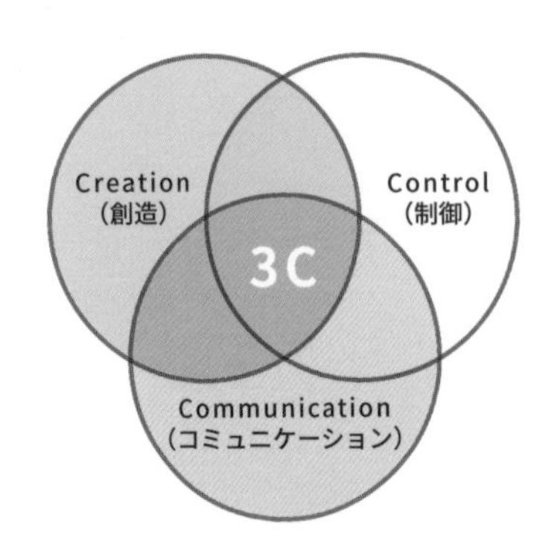

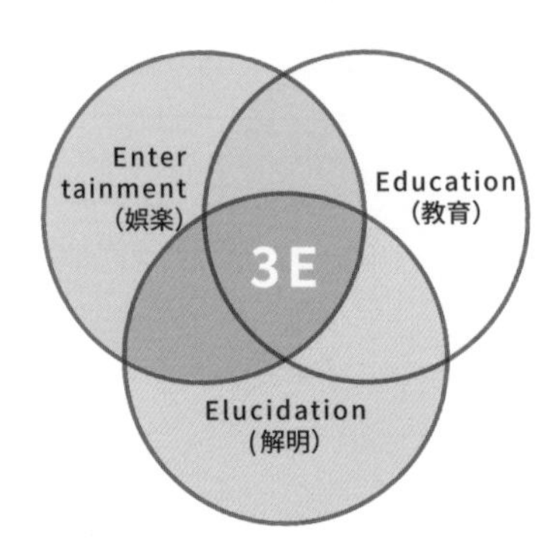

考え方でありすぐにでも実践可能です。既存のビジネスのやり方や、ステークホルダー、顧客価値が大きく変わらないため理解もしやすく、実例もたくさん出てきます。観光地がVRを用いて現地を体験してもらい、来訪につなげる事例がよい例です 02 。写真で見るだけよりはVR空間に入って見渡し、歩き回るほうが魅力的に見えるでしょうから、旅行の成約率が上がる……と、言うは易しですがあまりディスラプティブなアプローチではないと言えるでしょう。顧客の最終価値は「現実世界で観光地にいき、現地を体験すること」のまま変わっていないからです。当然お金の使い方も大きくは変わりません。

VR空間で新しい顧客価値を作る

VRで体験してから旅行を予約したからといって、宿代と飛行機代を倍額払ってもらうのは難しいでしょう。とはいえ、写真ではそこまで差がないように見えた2つのホテルが、VR空間内で歩きまわって見るとやはり高級なほうのホテルがすごくよさそうだから、とアップグレードを決めることもあるでしょうから、VRを用いて既存ビジネスを補完するというアプローチは徐々に浸透していくはずです。

もうひとつの方向は、既存のビジネスをVRの中(バーチャル)に持ってくるという考え方です。ステー

02 VR体験はビジネスになるか?

ヴァチカン市国が提供するオフィシャルVRコンテンツ。とても美しいが、ただ見ることしかできない
http://www.museivaticani.va/content/museivaticani/en/collezioni/musei/museo-profano/tour-virtuale.html

クホルダー、顧客価値を既存ビジネスと異なったものにしてしまう、というやや過激な考え方です。こちらはディスラプティブなアプローチとなる可能性を秘めつつも、市場には理解されない可能性も高い、ハイリスク・ハイリターンな手法となります。旅行の例でいうと、もう旅行に行くのはやめにして、バーチャルな街を、バーチャルに観光してもらってお金を頂くような体験価値をVR空間内に作れないものかな？と考えるやり方です。

当たり前ですが飛行機には乗ってくれませんし、宿に泊まってもくれないので、既存の旅行業界からは出てこない発想でしょう。何よりも、CGで作られた街なんて見て何が楽しいんだ、そこにお金を払う人なんているわけないじゃないかと感じるでしょう。

ですが、考えてもみてください。ヴァチカン宮殿だって人の手で作られた建造物ですが、荘厳なバーチャル宮殿だって3D CGクリエイターの手で作られたものです……。何だその屁理屈はと感じた方、ここまでは、その通りです。バーチャルな宮殿をただ眺めるだけでは本物のヴァチカン宮殿で感じる荘厳さとは比べるまでもありません。しかし、ここに3Cの要素が加わると、俄然バーチャルの面白さが増してくるのです。

VRだから付与できる、現実にはない価値

バーチャル宮殿に遊びに行くと、そこにはたくさんの美しい侍女や凛々しい執事が居たらどうでしょう。AIによる味気ない受け答えではなく、中にちゃんと動かしている人間がいる「アバター」です。おしゃべりをしたり、トランプやチェスをいっしょに遊んでくれて、宮殿内を駆けずり回ってかくれんぼやケイドロをして遊んでくれたり、遊び疲れたらいっしょに宮殿の中庭にあるベンチで休憩しながら悩み相談に乗ってくれたりするとしたら？　現実世界の観光地にある宮殿で、執事さんがいっしょにチェスで遊んでくれることはないですし 03 、ましてやケイドロなんてやろうものならつまみ出されます。

VR経験が豊富な方はここまで読んで「ああ、それならお金を払ってでも行きたくなるね」と反応してくれます。ですが、未体験の方にはまだまだ眉唾ものだと感じる方も多いかと思います。

従来の宮殿観光が持つ顧客価値は、荘厳な空間を見て身体で感じるということでした。この例では、バーチャル空間に持っていくことで、荘厳な空間で侍女や執事と楽しく遊ぶ、という顧客価値に入れ替えたわけです。また従来の宮殿観光ではそこに行く、という時間的・金銭的コストがものすごく大きかった反面、この例では行くことはとにかく簡単です。仕事帰りにふらりと駅前の立ち飲み屋に立ち寄るぐらいの手軽さで行くことができるとなると、現実の宮殿と違って「何度も何度も、繰り返し行って楽しむ」という楽しみ方も生まれてきます。

バーチャル旅行、なんてキーワードだけを聞くとものすごく現実の劣化版のように聞こえるのですが、事業の構造から体験の設計まですべてが全く異なったものなのです。

ビジネス観点でVRが持つ特性

先の例には実に多くのVR特性が含まれています。１つは、場所依存性からの解放。宮殿という１つの物理的場所を共有しませんから、何万人にでも同時にサービスを提供できます。

距離依存性からの解放（テレイグジスタンス）も重要ポイントです。執事役の担当者はVR環境さえあれば、どこからでも応対ができます。彼らを労働者だと捉えると、職住近接どころか家から働けるわけですから、世界中どこからでも執事役ができるわけです。求人問題も解決しそうですよね。

離れた誰かと空間を共有する特性もまた距離の問題をなかったもののようにし、VR空間をあたかも現実の空間のように感じさせます。

身体的制限を取り払えている点にも注目です。現実世界で足腰に不安を抱えている方でも思いっきりケイドロができますし、男性が侍女の役をすることもできます。健康状態が悪くて海外旅行などとても行けない方が、VR空間になら入れる場合もあります。

そして何よりも、非現実世界の可視化ができるという大きな価値があります。すべての壁がバラで埋め尽くされた宮殿を作ることもできるし、背中に羽根を生やして飛ぶこともできる。

これらVR特性をうまく活用し、3E分野で新しい顧客価値を生んでいる実例を、一部ARの例も含めて紹介して行きます。

03 繰り返し味わえるVRでの体験

中世の雰囲気あふれる部屋で、かわいいメイドさんと雑談しながらチェスで遊ぶ。ガールズバーで雑談するより遥かに楽しいと感じる人も多そうだ
（ワールド名：The Game World、作者：YukiYukiVirtual氏）

Section

2 VRを利用したエンターテインメント

**VRのもっとも素直なビジネス応用にエンターテインメント分野があります。
商業施設から家庭用VR機器でのゲームやコンテンツ視聴に加え、
最近ではVRで作成してVR内で楽しむコンテンツも生まれつつあります。**

執筆：堀 正岳

従来のビジネスがVRで変化する

「没入感」この言葉を抜きにして近年のエンターテインメント・コンテンツを語ることはできません。映画やドラマといった映像作品はもちろん、音楽も、業務用・家庭用ゲームも、すべてが体験者により深い没入感をもたらす方向性で急激な進歩をとげています。

エンターテインメントにおける没入感は、コンテンツが体験者の五感にもたらす刺激が源となっています。たとえば家庭用ゲーム機におけるコントローラーの振動はゲーム内の出来事を触覚を通してユーザーに体験させていますし、Niantic社の位置情報ゲーム、ポケモン Goはカメラを通して周囲の環境とゲームデータを融合させることで、視覚を通してプレイヤーがコンテンツを自分の世界の延長として経験させることに成功しています。映画も、スクリーンの巨大化や音響の大規模化と並行して、MX4Dや4DXといった環境効果技術によって席の振動、風、水、香りといった演出で作品の世界と観客の体験を結びつけるようになっています。

コンテンツの内容だけでなく、それがいかに我々の五感を刺激して体験を深めているかが、エンターテインメントにおける欠かせない価値として重要視されるようになったのです。

それではVRは、より深い没入感を求めて進化し続けるエンターテインメントの世界に何をもたらすのでしょうか？

ロケーション・ベース・エンターテインメントとしてのVR

テーマパークや科学館などといった施設では、観客が秘境や宇宙を旅する体験ができるアトラクションが数多く存在しましたが、VR技術を応用することでその没入感は近年さらに高まっています。

たとえば東京ディズニーシーの人気アトラクション「ソアリン：ファンタスティック・フライト」は、観客の座っている座席が風景の投影されている空間を移動することで独特の浮遊感を体験できるだけでなく、風や匂いなどといった効果も加えることでヘッドセットなしに仮想世界を楽しめるしかけになっています。

VRヘッドセットを利用し、観客が大型の施設の中で映画の仮想世界を直接体験できるアトラクションも増えています。その一例であるVRstudios社が開発した「Terminator: Guardian of Fate」 01 では、VRヘッドセットを装着した観客が仮想空間の中で映画「ターミネーター」の世界における銃撃戦を体験することができます。

こうした映像アトラクションは従来から存在しましたが、VRヘッドセットを用いることで観客より深い没入感や、アクションの臨場感を感じることができます。

日本における同様の事例として、ユニバーサル・スタジオ・ジャパン（USJ）はフリーウォーク型のVRアトラクション施設「XR WALK」を発表しており、430平方メートルの空間を最大四人のプレイヤーがVRヘッドセットを装着して互いにボイスメッセージで会話をしつつ「モンスターハンターワールド：アイスボーン」の世界を楽しむアトラクションが計画されています（2021年現在、新型コロナウイルスの影響で延期中）。また、日本各地に展開しているバンダイナムコアミューズメントの「VR ZONE」は、観客がVRを通してゴジラや機動戦士ガンダム、あるいは任天堂のマリオカートVRといったオリジナルコンテンツを楽しめます。

こうした常設型のアトラクションはロケーション・

01 VRによるロケーション・ベース・エンターテインメントの例

Terminator: Guardian of Fate（Skydance Production）
VRヘッドセットを被り、襲いかかる敵と戦うタイプのVRアトラクション

XR WALKと同タイプのアトラクション、Zero Latency社のVRアトラクション紹介ページ。プレイヤーはVRヘッドセットとPCが入っているバックパック、そしてセンサー内蔵の銃を持って楽しむ

ベース・エンターテインメント（LBE）と呼ばれ、VRを活用した新しいエンターテインメントの形として注目が高まっています。

大規模な施設を建設するかわりに、VRを使って新しい体験を生み出す試みも存在します。長崎県のテーマパーク、ハウステンボスのVRジェットコースター「VR-KING」は観客がVRヘッドセットを装着して時速270キロ相当で移動する映像を視聴し、それに座席の動きと風や水しぶきを組み合わせることで本物のジェットコースターのような臨場感を生み出します。

このように既存の施設の一部をVR化することによって、大規模な改修を行わずとも新しい体験を観客に提供することが可能なのです。

家庭で楽しめるようになったVRエンターテインメント

ロケーション・ベース・エンターテインメントの対極にあるのが近年安価になってきた家庭用VR機器です。PlayStation VRやOculus Quest / Quest 2向けには360度カメラで撮影された映像コンテンツや、映画やゲームをVRとして体験できるコンテンツが豊富に存在します。

一人称視点で操作する、いわゆるファースト・パーソン・ビュー型のゲームであっても、VRヘッドセットで表示させるだけでは視野角の問題があるために没入感は得られませんし、操作にも難点があります。そこでバンダイナムコエンターテインメント「ACE COMBAT 7：SKIES UNKNOWN」といったゲームでは通常のゲームプレイとは別にPS VR用に制作されたミッションが追加されるか、Hello Games社の「No Man's Sky」のようにVR用の視野角とコントローラー操作のUIを別モードで用意すると言った対応がなされています。

既存のゲームのVR対応にとどまらず、VR専用のゲームコンテンツも大きく成長しつつある分野です。その多くはプレイヤーがVR空間の中で自分の身体を動かして操作することで既存のゲームにはないエンターテインメント性を生み出しています。

たとえばソリッドスフィア社の「カイジVR～絶望の鉄骨渡り～」は、漫画「カイジ」の登場人物が作中で体験する高所の細い鉄骨を渡る恐怖のシーンをユーザー自身に体験させるという視点で作られたゲームです。ユーザーはコントローラーを通して自分の体でバランスをとり、失敗した場合には映像を通して墜落の恐怖を擬似的に感じることができます。

02 家庭で楽しめるVRエンターテインメント

Beat Saber（PlayStationストアの公式画像より）
https://www.playstation.com/ja-jp/games/beat-saber-ps4/

Facebook社に企業買収されたBeat Games社の「Beat Saber」 02 は、VR空間の中を迫ってくるブロックを両手のコントローラーで操作するビームサーベルで斬っていく音楽ゲームです。映像にあわせて体を動かすゲームは数多く存在しますが、Beat SaberのようなVRゲームはユーザーの体の動きを仮想空間内に持ち込むことでゲーム性が成立しているところが革新的です。

VRが持っている身体性を意識したゲームづくりもはじまっています。Valve社のHalf-Lifeシリーズの最新作「Half-Life: Alyx」は、VR空間内で物体をつかむ、なげるといった動作や、プレイヤーから見た死角の演出を効果的に使っています。これまで培われた様々なゲーム演出をVRに応用することで、新しい没入感を生み出す試みはまだはじまったばかりとも言えるのです。

VR発の新しいエンターテインメントの誕生

VRの中で生まれ、VRの中だけで消費される新しいエンターテインメントも生まれつつあります。

Googleが開発し、2021年1月にオープンソース化した「Tilt Brush」は仮想空間内で三次元的な絵を描くことができるアプリ 03 ですが、描かれた作品の周囲をVR内で移動することができるので、絵画と彫刻の間にあるとも言えますし、描いた線から色鮮やかなパーティクルやエフェクトを生み出すことが可能なところなどが、写真と動画の間にあるとも言えます。

Tilt Brushの作品自体がVR内で制作され、VR内でこそ本来の形で閲覧できるという点は重要です。今後絵画だけでなく、VR内で演奏する楽器や、VR内で解くパズルといったように、体験できるエンターテインメントの地平が広がる可能性があるのです。

その一方で、既存のVRは視覚と聴覚が中心であることは注意する必要があります。物に触れたときの触覚や熱や風の感覚、嗅覚、重力の変化といった浮遊感といったように、没入感を与えるために必要な感覚的刺激の多くは、家庭用のVR機器では現在表現が困難です。

そうしたハードルを技術的に乗り越える挑戦も、演出を通して乗り越える試みも、今後大きく発展が期待される分野なのです。

03 VR内で制作されるコンテンツ

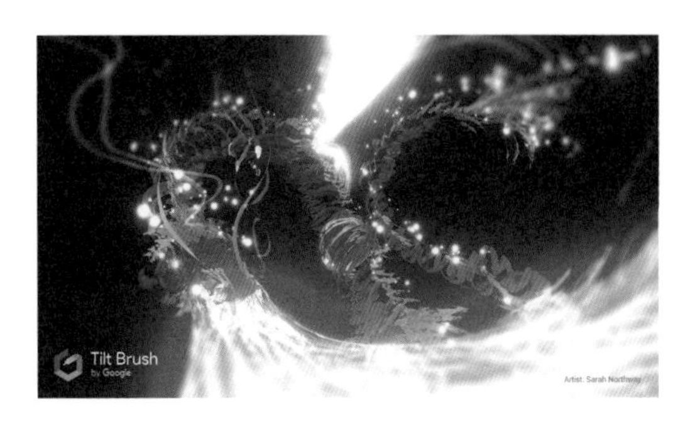

Tilt BrushによってVR空間内で描かれ、VR内で楽しむことができる作品の一例（作者：Sarah Northway）

Section

3 VR空間での ライブエンターテインメントの可能性

**VRにおけるイベントやライブエンターテインメントは
今後大きく成長することが期待されている分野です。
ここでは、VRにおけるイベント・エンターテインメント事例を紹介します。**

執筆：堀 正岳

Part.3

ライブの熱狂を仮想空間で体験する

2020年における新型コロナウイルスのパンデミックの影響で大きな打撃を受けた音楽コンサート、スポーツ観戦、各種イベントの分野では、これらの催しをオンラインで実施する方法が模索されており、その手段のひとつとしてVRに注目が集まりました。

VRイベントやVRライブには現在、大きく分けて２種類があります。ひとつはイベントを360度カメラなどで撮影することでユーザーがまるで現地にいるかのように体験可能なコンテンツとして提供するタイプのもので、もうひとつはイベントそのものをVR空間上で配信するタイプのものです。

前者はたとえばコンサートに行けなかった人や、最前列の体験がしてみたいといったように、現実のイベントの代替あるいは補完といった形をとります。素材も現実のものを撮影するか、既存の素材を活用してVR内で体験可能な編集を行っており、現実の体験のVR化と言っていいでしょう。

逆に後者は、演者も視聴者もVRを通して体験を提供し、かつ共有してしますので、イベントそのものがVR化しています。現実には存在しないバーチャルキャラクターのステージを体験することや、ゲーム感覚でイベントに参入することも可能になります。

VR空間にライブの臨場感を再現する

VRによる音楽視聴の事例として、ソニーグループ内横断型プロジェクトである「Project Lindbergh」が制作に協力した歌手・宇多田ヒカルのVRコンテンツ「Hikaru Utada Laughter in the Dark Tour 2018 -“光”&“誓い”- VR」と、バンド・Survive Said The Prophetのコンサートを VR映像として収録した「Survive Said The Prophet VR EXPERIENCE」の PlayStation VR用のアプリがあります（いずれも配信終了） 01 。

「"光"&"誓い"」は映画制作用の6Kカメラなどで撮影されたライブコンテンツで、3つのアングルから宇多田ヒカルさんの映像を自由に切り替えることができます。最も接近したアングルは歌う様子や表情、細かい衣服の動きまでもが視覚を通して与えられ、特に目線を合わせながら自分に向かって歌う生々しい演出はVRならではの新しい音楽体験を作り出します。

「Survive Said The Prophet VR EXPERIENCE」はライブ会場に70台以上ものカメラと40台のマイクを設置して収録、コントローラーで視点を切り替えるたびに異なる場所にワープしたかのような体験を実現しています。特にドラマーの後ろからの視点では、音声の聞こえ方（ミキシング）までも変化させ、いっしょに演奏しているような体験を生み出します。

このように収録技術やアプリ側の解像度の向上により、現在の家庭用VR機器でもライブの臨場感を再現し、さらにVRならではの体験を加えることが可能になってきましたが、その一方でVRコンテンツを制作するための課題もあきらかになってきました。

たとえばVRコンテンツとしての臨場感を生み出すためにはカメラを演者のなるべく近い位置に設置する必要があるので、特に実際に観客が存在するライブにおいては舞台制作チームや演者の理解を得る必要があります。そのため、前述のふたつの事例においてもVRコンテンツ収録用のステージを設定するために、客入れ前のリハーサル中に撮影をしたり、VR収録を前提としたスペシャルライブという形で観客に対して理解を得た上で実施されたりしています。こういったVR撮影における制限から、「Project Lindbergh」では通常のライブ撮影用カメラの映像を演出によってVR化するなど、新しい手法の開発にも取り組んでいます。

01 横断型プロジェクト「Project Lindbergh」

宇多田ヒカル「"光"&"誓い"」は視聴者が3つのアングルから歌う様子を切り替え、表情や細かい衣服の動作も臨場感たっぷりに感じられるコンテンツ

「Survive Said The Prophet VR EXPERIENCE」はライブ会場に70台以上のカメラと40台のマイクを設置して視点だけではなく音の切り替えも可能にした

ライブをゲーム空間に持ち込んだFortniteライブイベント

現実の体験をVRとしてパッケージ化することからさらに一歩進み、イベントそのものをVR空間内で実施する事例も増えています。

近年注目されたのが、バトルロイヤルゲームでありながら、メタバース的な側面を持っているFortnite内で行われた大規模なライブイベントです。マシュメロによる「Showtime」、トラヴィス・スコットによる「Astronomical」 02 、日本からは米津玄師による「Stray Sheep」といったイベントが次々に開催され、特に「Astronomical」では2,700万のユニークユーザーが計4,500万回視聴するという、現実のライブイベントではありえない数字を実現しました。

ライブイベントは本来VRにとって非常に難易度が高いコンテンツです。音の遅延や、音と描画の同期問題、あるいは観客のリアクションがリアルタイムに反映されないなどといった理由でライブ体験は損なわれます。そのすべてを満たしながらイベントを大きさをスケールさせることはまだ現実的ではありません。

こうした限界を乗り越えるために、Fortniteイベントの場合は演者のライブ感は犠牲にして事前に録画されたコンテンツをゲーム空間内に投影する一方で、曲の盛り上がりとともに自動的にプレイヤーのアバターがジャンプをして一体感を盛り上げるといった演出が行われました。

ここで大きな役割を演じているのがユーザー同士のボイスチャットや、アバターを踊らせたりする「エモート」の機能です。ユーザーはボイスチャットで会話をし、盛り上がりをエモートで表現することを通して、同じ体験を共有しているというライブ感を強めていきます。たとえコンテンツそのものは録画であっても、仮想的な場を共有したという体験がユーザーに一体感や興奮を生み出すのです。

02 Fortnite内でのライブ音楽イベント

「Travis Scott and Fortnite Present: Astronomical」はYouTubeにアーカイブが公開されている
https://www.youtube.com/watch?v=wYeFAlVC8qU

ライブを行う「場」を提供するcluster

VRにおけるライブイベントはユーザーが共有できる「場」と、一体感をもって感じられる「コンテンツ」の両者が必要です。こうした際の「場」の提供に大きく貢献しているのが、国産VRプラットフォームとして躍進を遂げているclusterです。

clusterはスマートフォン、ブラウザ、ヘッドセットなどを使ってバーチャルイベントに参加できるサービスで、パーティや勉強会のような小規模なものから大規模イベントまでも開催することができる特徴をもっています。2020年5月には、KDDI株式会社、一般社団法人渋谷未来デザイン、一般財団法人渋谷区観光協会が共同で制作した配信プラットフォーム「バーチャル渋谷」がcluster上にオープン、10月には6日間で40万人が参加する「バーチャル渋谷au 5Gハロウィーンフェス」が開催されました 03 。

clusterで「バーチャル渋谷」のワールドを開くと、ユーザーは渋谷交差点前のビル群のただ中に出現し、他のユーザーの存在をアバターや音声で感じながらディスプレイ上に表示されるコンテンツを楽しむことができます。

ハロウィーンフェス期間中は、きゃりーぱみゅぱみゅによるライブパフォーマンス、ダンサーKento MoriがLAからダンスパフォーマンスを届けるといったステージだけでなく、Netflixオリジナルアニメシリーズ「攻殻機動隊 SAC 2045」の上映会、キッザニアによるバーチャルハロウィーンパレードといった催しが行われ、場とコンテンツの提供の両方が噛み合ったことが大きな成功につながったと言えます。

また、「バーチャル渋谷」プロジェクトは現実の渋谷の店ともコラボレーションしており、VR側から品物の購買や店への導線を生み出す、ミラーワールドの戦略も実現しているところが注目に値します。

03 渋谷交差点がバーチャルに再現

cluster上の「バーチャル渋谷」で開催されたハロウィーンフェスの様子

clusterはワールドの作成のしやすさ、洗練されたインターフェース、そしてスマートフォンからも参加できる手軽さもあって、「バーチャル卒業式」や「バーチャル勉強会」といったように様々な形で利用されています。2020年の1月から10月までに1,000件以上のイベントが開催され、総動員数は300万人を超えていることからみても、clusterはもはやアーリーアダプター層を超え、普及の段階に入ったサービスに成長していると言えるでしょう。

● 演者も観客もVRの中でライブを行う

ここまで見た事例ではコンテンツは事前に収録したものをVR向けに編集したものが中心でしたが、その先にあるのは演者自身がVR空間内でパフォーマンスをするタイプのライブイベントです。

演者の動きや音、多数の観客の反応などをすべてVR上に再現することは技術的に課題が多いものの、より大きな課題として挙げられるのが演者自身のモチベーションと視聴している来場者の熱量をどのようにVR内で再現できるかです。

たとえばcluster内に作られた架空のライブハウス「Zepp VR」でユーザー参加型ライブを実施したバーチャルYouTuber「輝夜月（かぐやるな）」のライブ 04 では、来場者が会場内を自由に移動しながらサイリウムを振ったり自撮り写真を撮るような演出を実現させています。

また、先に紹介した「Project Lindbergh」ではVR上でバーチャルアイドルとのワン・トゥ・ワン・コミュニケーションを可能にする「バーチャルハイ

04 ユーザー参加型のVRライブイベント

バーチャルYouTuber「輝夜月」のライブイベントの様子。来場者はイベント内を移動し、サイリウムを振って盛り上がることができる

© Kaguya Luna / Sony Music Labels Inc

タッチ会」の開発も行っており、コントローラーに触覚フィードバックを発生させることにより「手が触れたときの感覚」をVRならではの手法で実現しています。

演者自身がVR上でパフォーマンスを行う試みもはじまっています。2020年11月に開催された「ASCOT VR LIVE」05 においては、現実のライブハウスであるVeats ShibuyaをVRChat内のワールドとして再現し、シンガーソングライターの谷本貴義、麦野優衣、そしてアニソンDJの桃知みなみがアバターとして会場に登場してパフォーマンスする初の試みが行われています。

VRのライブ体験とは

本書の執筆陣はこのライブイベントのワールド構築から当日の演出と撮影に参画していましたが、アバターに表現できる姿勢や表情への制限があるものの、実際に演者と観客がイベントを共有している熱量の高まりにVRライブパフォーマンスの未来を感じることができました。

たとえば演者が場の盛り上がりを見ながらステージ上から観客席に飛び込む、観客のアバターとハイタッチをするといったやり取りを行うだけで、観客にとっても演者にとってもライブ感は強まり、現実のライブに体験は近づいていきます。

現実ではVR収録を行うためのカメラの配置はライブそのものと干渉してしまいますが、VR内ならば撮影をするスタッフを他のユーザーに見えない透明のアバターで演者のすぐ側や、物理的な制約を無視して空中に配置することいったことも可能になります。

現時点ではVRChat、clusterのいずれの場合でもVR空間内に同時に存在することができる観客数には強い制限があります。そこで、観客とのインタラクティブなやり取りを犠牲にして同じコンテンツを配信しているワールドを複製して配信するか、あるいはライブイベントの内容をYouTube、Twitchといった外部のプラットフォームに配信するなどといった工夫も必要になります。VRライブパフォーマンスを実現する技術的な発展もさることながら、そうした演出上の発展も今後期待される新しい分野と言えます。

VRによる場の提供、VRにあわせた魅力あるコンテンツ、そしてゆくゆくはVRの中で演者と観客が空気感すら共有する、そんな夢のステージはすでにはじまっているのです。

05 演者も聴衆もVRに

Veats Shibuyaで開催された、演者も聴衆もVR内に居るライブイベントの様子（©Veats Shibuya / IAA）

Section

VRによる教育とトレーニング

エンターテインメントとならんでVRの活用が期待されているのが教育およびトレーニングの分野における応用です。離れた場所に教育や技能を伝えることで、新しい可能性を生み出しています。

執筆：堀 正岳

VRは教育とトレーニングの分野に革命を起こしつつある

教師と黒板があるような、従来の授業形式の教育を離れた場所に届けるだけならばテレビやYouTubeやZoomといった方法でも十分です。しかしVRは仮想現実を通して体験そのものを届けることができますので、現実には再現しにくいシチュエーションを学習者に経験させることや、手を動かすことで運動感覚的に学習するタイプのスキルにも応用できるという利点があります。

従来は難しかったハンズオンの学習を、VRヘッドセットとインターネット環境さえあればどこにでも提供可能であるということは、教育機会の均等化という意味でも、質の高い情報を従来の何倍もの人に提供するスケーラビリティという観点からみても、革命的な変化と言えるのです。

VRを利用したバーチャル科学実験

VRを使った学習プラットフォームの成功事例に、世界中の大学や高校で300万人に利用されているLabsterがあります 01 。Labsterは物理学、化学、生物学など様々な分野の教材が提供されており、学習者はVR空間内でインタラクティブな教材に触れて学ぶだけでなく、植物の飼育や化学実験といったバーチャル科学実験を体験できます。

本来、科学実験は実際に行うことに意義がありますが、VR内でそれをシミュレーションすることで現実の教育では難しいいくつかのハードルを乗り越えることが可能です。

まず、Labsterは世界中のどこでもネット環境があれば使用可能ですので、学校へのアクセスが困難であったり、教師の人員が不足しているような場所でもレベルの高い教育を受けることが可能です。社会的地位の向上にとって最も大きな障壁である、教育へのアクセスという問題を解決しうるのです。

また、莫大なコストがかかる実験器具や薬品を人数分そろえなくても授業を行うことができるという利点もあります。Labsterの教材には、予算の潤沢なラボでしか触れられない最新の機器や大規模な実験施設をシミュレーションしているものも存在します。限られた人にしか許されなかった経験を、VRを通して得られるのは大きな魅力です。

機器の破損や薬品による事故といったリスクを気にすることなく実験を行うことができる点も重要です。こうした失敗は危険なだけでなく、教育を提供する側にとって大きなコストになるため、現実ではどうしても決まった実験を決められた手順で行う場合がほとんどです。VRならば、失敗してもすぐにリセットして実験を最初からはじめられるので、学ぶ側が好奇心をもって試行を繰り返せるようになります。

最後に、Labster上の実験は分子構造を手にとって見たり、動いている心臓の中を血液が流れる様子を触りながら確かめたりといったように、現実を超えた体験を通して学習効果を高められます。

現実の体験はもちろん重要ですが、工夫してカリキュラムに取り入れることによって、VRはより豊かな学習体験を生み出せるのです。

01 VR科学実験学習プラットフォームLabster

Labsterで実験室での無菌操作を訓練している様子。バーナーの扱いを間違えると薬品に引火したりといったハプニングも再現されている
https://www.labster.com/

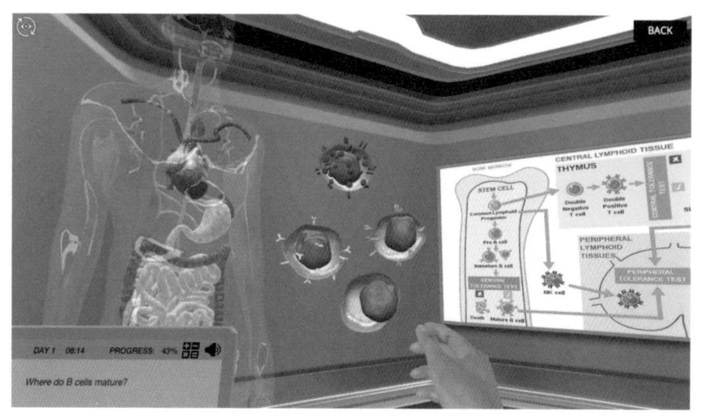

Labsterで免疫学を学んでいる様子。実際には手に取ることができない細胞や原子に触れて体験的に学ぶことができる

体験が従来の教育を補完する

科学教育の分野以外でも、学習対象を単なる教科書のうえの文字のつらなりとして覚えるのではなく、実際の体験に置き換えることには大きなメリットがあります。

たとえばForce Field社の「Anne Frank House VR」はホロコーストで命を落とし、死後に「アンネの日記」で有名になったアンネ・フランクの一家が隠れていた家をVRで体験できるコンテンツです。アムステルダムに博物館として保存されている実際の家は大勢の人が訪問する名所となっているため、おちついて見学することも説明員の解説を聞くことも困難です。しかしVRならば、どれだけ小さな場所で一家が過ごしていたのかを、体験として学び、ゆっくりと解説を吟味することが可能です 02 。

VRによる学習は、教材を読み、講習を聞くといった従来の学習スタイルに、対象を体験するというもうひとつの軸を加えて補完するのです。

02 アンネの家がVRに

Force Field社の「Anne Frank House VR」でアムステルダムのアンネ・フランクの家を体験する

VRを通した企業トレーニング

学校教育だけでなく、企業における従業員教育や、顧客に新しい学習サービスを提供する分野でもVRは活用されています。たとえば100万人の従業員を擁する米国Walmart社では1万7,000台以上のOculus Go端末を全店舗に配布し、米国Strivr社のVRトレーニングプログラムを通して商品配送システムの操作訓練を行っています。Walmartは全米に1万店以上あり、その複雑なシステム操作を解説するために少数しかいない専門家を順番に派遣して解説を行うことを考えると、時間もコストもかかり過ぎです。従業員教育をVR上で実施すればすべての店舗でほぼ同時に最新の内容を提供できるので、学習効率の向上と同時に大きな予算節約も期待できます。

同様の仕組みは、工場における危険防止のためにあえてVR上で機械の事故の瞬間を仮想的に体験してもらう、火災の状況をVRで再現して避難訓練を行うといった形でも応用されています。VR事故体験・安全教育アプリ「LookCa」 03 は建築現場での落下事故や重機の巻き込み災害などといった重大事故について、被災者の視点、運転者の視点をVRで提供することで、死亡事故につながるシチュエーションを感覚的に受講者に教えます。本番を体験することがめったに無いからこそ備えにくい事態に対して、こうした教材は利用者に心構えを教えてくれるのです。

03 事故や危険な状況を体験して訓練する

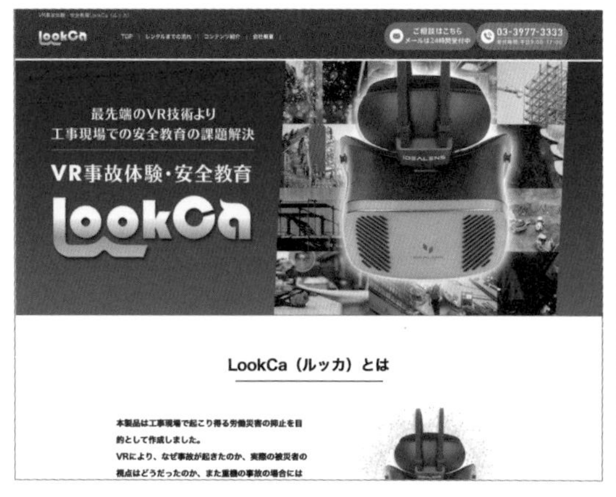

VR事故体験・安全教育サービス「LookCa」のホームページ。被災者の立場だけでなく、重機の運転者の視点なども体験できる
https://tukusi.tokyo.jp/

無人飛行機の操縦をVRで訓練する

より特殊な仕事のトレーニングにおいても、VRの活用は伸びています。

戦闘機パイロットの訓練などにおけるVRの利用価値に早い段階で着目していたアメリカ海軍は、現在無人航空機（UAV）の操縦訓練において積極的にVRを取り入れています。従来は講師によるレクチャーと、高額で少数しか配備されていないシミュレーターを利用した基礎から応用へと進むリニアなプログラムで訓練をしていましたが、これは受講者が操縦に習熟するまでの時間が長くコストがかさんでいました。近年開始した「Project Avenger」 04 と名付けられた試みでは、受講者は安価なVRヘッドセットを受け取り、必要なレクチャー内容はすべてその中で受講するようになっています。高価で予約が取りにくいシミュレーターよりも、ヘッドセットと操縦桿のみで構成される簡易なVRトレーニングプログラムを

04 Project Avengerの訓練の様子

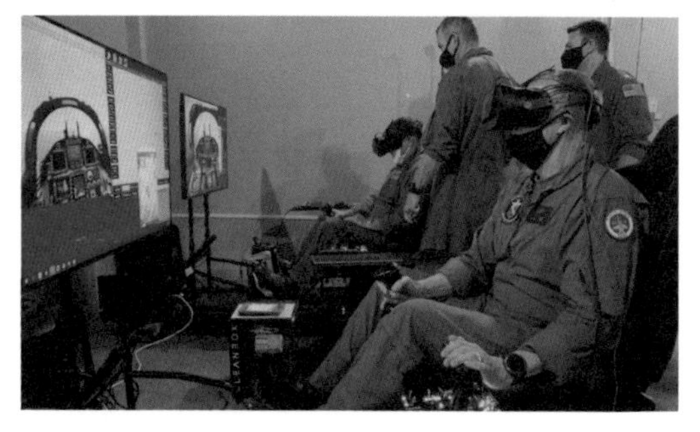

兵士は安価なVR機器でいつでも訓練を行うことができる
©US Navy/Lt. Michelle Tucker

いつでも利用可能にすることで、受講者は自由な順序で訓練を受講し、苦手なスキルに能動的に取り組むことができます。

Project Avengerのもうひとつの特徴は、受講者の操作データが詳細に記録されており、習熟したパイロットの操縦と比べてどれだけタイミングがずれているか、どれだけ操縦桿を起こす角度が違ったのかを正確なデータとして教官が把握できるところです。将来的には機械学習も援用することで受講者のウィークポイントを早期に特定し、その克服に向けた訓練を本人に提案できるように開発が行われるとされています。

受講者が受講する順序やアプローチを変えることができるだけでなく、受講した結果生まれた学習効果を計測できるという点も、VRトレーニングの大きな利点なのです。

医療分野におけるVRの活用

こうした技術を応用することで、外科手術のような特殊技能を遠隔地に伝えるためにVRが利用される仕組みも実用段階に入っています。

たとえばProximieはARを使用して遠隔地で行われている手術を可視化し、現地の執刀医に対して画面上に注釈を加えたり、音声を通して助言を行うことを可能にしています。難易度の高い手術に対するアクセスは、そうした執刀を行うことができる医師が限られているために先進国や大都市に限られている傾向がありますが、こうした仕組みを使うことで技能や才能を遠隔地に伝えることが可能になるのです。

05 医療現場での利用

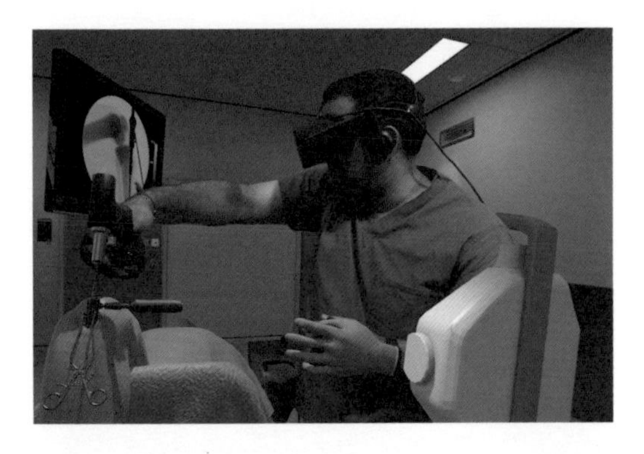

Osso VRで医療トレーニングをしている様子。こうして離れた場所に最新の施術や技術を伝えられる
https://ossovr.com/

同様の技術はOsso VR 05 のように、外科手術のトレーニングをVR化するサービスでも利用されています。仮想空間内に過去の症例や最新の医療機器を表示してレクチャーを行うことで、離れた場所からでも最新の技術や施術を習得し、リスクなしに執刀前のシミュレーションを行うことができます。

外科手術だと、専門的すぎて関係がないと思われるかもしれませんが、同様のトレーニングをたとえば製品の組み上げについて行う、想定される危険や事故の例をVRで仮想的に体験してもらう、といったように専門知を仮想化することで様々な価値を創出できることが期待されます。

遠隔地から旅行ガイドをする仕組み

旅行ガイドのように旅先の知識を旅行者に伝える仕事は、本来はガイドと旅行者が場所をともにしていなければ成立しません。しかしこれまで見てきたような教育やトレーニングのVR技術を応用することで、場所を共有していない人をつないで新しい雇用を生み出すことも可能になります。

たとえば日産自動車が2019年に発表した、NTTドコモの5G通信技術を利用して実現している「Invisible-to-Visible（I2V）」技術は、走行中の車両の中でヘッドセットを被ったユーザーの視界に遠隔地にいる別の人のアバターを投影し、その身振りや音声を伝えることに成功しています 06 。こうした技術は、自動運転車両の中で観光をしている人に対して、地元に長く住んでいる高齢者がガイド役をつとめるといったように、場を実際に共有せずに知識や経験を伝えるという利用方法が想定されています。

アバターの姿で自動車に同乗するのは、たとえば「あちらのほうに見えるのは」と身振りで情報を伝えたり、指を指したりといった非言語コミュニケーションが、旅行ガイドのみならず、何かを教える現場では重要だからです。

このように講師側も受講側もVR内に存在するタイプの教育利用は、今後スポーツトレーニングや、楽器の練習などといった分野でも応用可能であると考えられます。

06 VRガイドが案内する観光

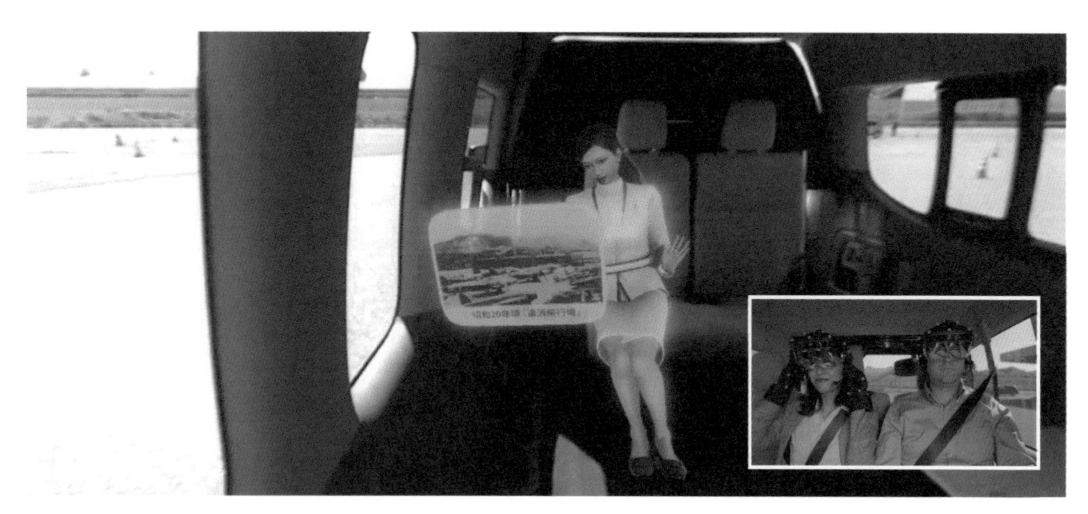

5G通信技術を使って走行中の自動車にVR映像をリアルタイムで送信する「Invisible-to-Visible（I2V）」技術の実証実験
© 日産自動車 / 株式会社NTTドコモ

Section

5 VRを教育に取り入れている N高等学校／S高等学校

KADOKAWAグループが出資して作られたN高等学校およびS高等学校(2021年4月開校/設置許可申請中)が、2021年4月よりVR空間内でも授業を受けることができるカリキュラムをスタートします。VRを活用した教育機関としては世界最大規模となる2つの高校の取り組みをご紹介します。

執筆：武者良太

VR学習は次世代の体感型学習

N高等学校/S高等学校は「ネットの高校」として、世界中から授業が受けることができる広域・単位制の通信制高校です。今までにもxRを使った取り組みとして、VR入学式の開催やVRヘッドセット・MRゴーグルを用いたイベントを行ってきました。そこから一歩踏み込む形となるのが、普通科プレミアムの学生全員にVRヘッドセットを無償で貸し出し、映像による授業だけではなくVRによる授業も受けられるようにするという取り組みです 01 。

VR授業のメリットは、視覚的に理解度を高めやすいこと。3D教材を拡大縮小させながら自由な角度から見るというのは、VRでなくては体験できないことで、映像学習よりも通学制高校の授業よりも内容が把握しやすいという効果が期待できます。また、けん玉の練習のような、物理現象をともなうシチュエーションにおいても実際に手を動かすことによる高い学習効果も期待できます。従来のテキスト学習・映像学習主体の通信教育では難しかった、運動を軸としたカリキュラムも行えるところもVR学習のメリットと言えるでしょう。

他の生徒の存在を感じ取れるVR教室

N高等学校/S高等学校のVR授業における独自性としてピックアップしたいのが、先生と自分と、他の生徒のアバターがVR教室内に表示されるところです。同じ時間帯に受講している人ではなく、過去に受講した生徒のアバターゆえ、その場で雑談をしたり消しゴムを投げ合うようなことはできませんが、授業内容のどの部分でみんなが悩むのか、3D教材をどの角度から見ているのかなどを見ることができます。ダンスゲームやレーシングゲームにおけるゴーストリプレイ機能のようなもので、タイムシフトが可能なVRのメリットを活かしたものと言えます。

ただしVR学習すべてがいい、というわけではありません。ペーパーテストのある資格の勉強などは、授業内容を聞き取ってノートにとって学習していく従来のスタイルのほうが適しています。そのためVR学習と同じ内容の映像学習コンテンツを用意し、普通科プレミアムの生徒は自分の目的に合ったコンテンツで学習できる環境が整っています。

VRでのコミュニケーションが絆となる

部活動のような生徒同士、生徒と先生のコミュニケーションにおいてもVRを活用するN高等学校/S高等学校。以前から先生と生徒がいっしょになってVRChat内でビリヤードや人狼を楽しむなどの取り組みをしています。Rec Roomというサービスでは、VR空間内で共同でプログラミングしてゲームなどが作れる環境作りもありうるとのこと。他の生徒が作った曲に対してアバターがダンスを踊るといったコラボレーションも考えられるし、将来的にネットの遅延問題が解決するなら、いろんな地域に住む生徒がVRで生演奏を楽しむといったコミュニケーションも期待できます。

S高等学校校長兼N高等学校副校長の吉村総一郎さんはこう言います。

「VR空間内では、北海道と沖縄の子が隣に座って会話できるし、いっしょに遊べる。彼らにとっていい思い出にもなりますし、かけがえのない絆を育めるでしょう。これもVRを使うメリットだと考えています」。

01 VRでの授業風景

画像提供:N高等学校

Section

6 仕事の仕方を変えるVRオフィス

仕事の仕方が多様化するにしたがって、同じオフィスで場所を共有する
通常の出勤方法だけでなく、オンラインでメンバーをつないで
仮想的なオフィスの中で仕事をするスタイルも定着してきました。

執筆：堀 正岳

リモートワークから、仮想環境での仕事へ

たとえばプログラマーであれば、GitHubのように成果物であるコードを共有できる環境があれば実際に作業を行う人は世界中のどこにいても構いませんし、対面で打ち合わせをするタイプの仕事もZoomなどといったビデオ会議とサイボウズのようなグループウェアを活用しながら進めることが受け入れられるようになっています。

新型コロナウイルスのパンデミック以来、こうした技術を取り入れることでオフィスを縮小し、在宅勤務を取り入れながら新たな仕事のしかたを模索する機運も高まっています。

そしてもちろん、オフィス空間のVR化も少しずつ模索がはじまっています。

オフィスにとって必要なものを仮想化する

一足飛びにオフィスそのものをVR空間に移行してそこに出勤することは、あまり現実的ではありません。ヘッドマウントディスプレイを一日中身につけているのは負担ですし、それを利用すること自体が生産性を生むわけではないからです。

また、仕事によってオフィスに人が集まることの意味や価値は異なります。仕事場の仮想化はそうした限界やニーズを選び取り、オフィスのどの部分を仮想化するかというステップからはじまるのです。

01 バーチャルオフィス Remo

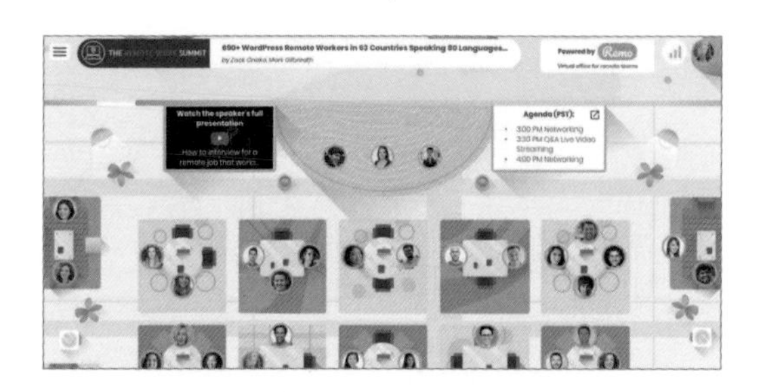

Remoは仕事場に人が集まっている様子を仮想化し、必要なときに会議ができる
https://remo.co/

たとえば会議を行うだけならば、参加者の顔がタイル状に並んでいるZoom会議でも構いませんが、複数のメンバーが場を共有し、いつでも気軽に話しかけることができるのが重要ならば、この「場」なるものを仮想化する手段が必要になります。

たとえばブラウザ上のオフィス空間とビデオ会議をむすびつけたRemoというサービス 01 は、ユーザーが仮想的にテーブルについて、必要に応じてビデオ会議で相談するといった形でユーザー同士のつながりをオンライン上に再現しています。今後発展することが期待されるVR上のオフィスも、常にVR空間に身を置くのではなく、周囲の人とどの程度エンゲージメントが必要なのかに応じて現実世界、AR、VRを渡り歩く形がとられるはずです。

Spatial と Infinite Office

こうした多層的なオフィスの仮想化を、ヘッドマウントディスプレイだけでなく、スマートフォン、ブラウザからも体験できる仕組みとして開発されている例として、Spatial 02 が挙げられます。

Spatialは自撮りした画像から3次元的なアバターを作成し、HoloLens、Magic LeapのようなARヘッドセットを利用しているなら現実のオフィス空間のうえに半透明の幽霊のように他のユーザーやオブジェクトを投影して会話を行うことができます。Oculus QuestのようなVRヘッドセットの場合は、3DモデリングされたVRオフィスにユーザーを迎え入れることができますし、同様の空間にスマートフォ

02 多様なデバイスから仮想オフィスを実現

Spatialでは、AR/VRヘッドセットを利用して仮想的に集合したメンバーで会議ができる。身振りを伝えたり、付箋やホワイトボードを使ったディスカッションに向いている

https://www.oculus.com/blog/tackling-telepresence-spatial-delivers-collaborative-computing-on-oculus-quest/

ン、ブラウザ側から参加することも可能です。

Spatialの AR/VRプラットフォームは、特に製品開発のように三次元のオブジェクトの周囲を囲んで互いに意見交換をする場合に効果を発揮します。VR空間上においたオブジェクトを自在に拡大縮小しつつ、デジタルな付箋を空間に貼り、仮想空間内でペンを使ってデザインの修正を提案するといったことが、自然に行うことができます。

Zoomのようなビデオ会議ツールでは、資料を指差して「あそこはどうなっている?」といった質問をしたり、身振りでニュアンスを伝えることが困難ですが、Spatialならばこうした限界を乗り越えられるのです。

仕事場の空間的な制限をVRで乗り越える試みもあります。Facebook社が2021年に公開予定のInfinite Office 03 は、ヘッドセット内にパソコンの画面を展開し、ARあるいはVR空間上で操作できる仕組みを提供しています。たとえばヘッドセットを装着しているあいだはキーボードが打ちにくくなりますが、専用のキーボードと連携することでVR空間内で仮想キーボードが表示されるようにしたり、マウスの代わりにVRコントローラーを利用できるようにするなどといった工夫がされています。

Infinite OfficeはSpatialとの連携も発表しており、これが実現すれば手元の環境を必要に応じてヘッドセットの中で視界いっぱいに展開しつつ、その内容を他のユーザーとVR空間内で共有して相談ができるようになります。

03 Infinite Office

Facebook社が開発しているInfinite Office。パソコンの画面をヘッドセット内に広げて投影し、VR内から操作できるようにしている
https://youtu.be/5_bVkbG1ZCo

VRChatを利用した手軽な会議

ここまでに紹介したような専用サービスを使わずとも手軽にVR上で会議を行いたいのならば、VRChatを利用するという方法もあります。

遊び心の強いアバターやワールドが多くゲームのような印象が強いVRChatですが、ミーティング用のVRワールドを招待制で立ち上げ、そこに相手を迎えてプライベートな会話を行うことができますし、3Dモデリングの知識があるならば独自にオフィス空間を作成することも、そこに任意のオブジェクトを配置することも可能になります。

実は本書に掲載されているインタビューや著者同士のミーティングも、いくつかはVRChat上で行われています 04 。VR空間上でミーティングを行うことで、たとえば誰が誰に顔を向けて話しているのか、どのような身振りをしているのかといった、非言語コミュニケーションが促進されるため、ビデオ会議に比べて意図が正確に伝わりやすく、会議そのもののクオリティが高まります。今後VRChatでも、オフィス利用をするためのワールドや、仕事にふさわしいアバター提供が進むことが期待されています。

オフィスのどの部分を仮想化し、どのようなコミュニケーションを実現すれば仕事が進むのかが判別できれば、どのVRサービスを使うかは二次的な問題になるのです。

04 アバターの姿でミーティングする

本書の著者たちがVRChat内で執筆のミーティングを行っているところ。このワールドも会議用に作成したもの

Section

7 VR空間で展示会や市場を作る

VRを利用した仕事場の再現や、コンサートなどといったライブイベント以外にも、展示会、学会、スポーツスタジアム、映画館、美術館や博物館、ショッピングモールといったように、大規模かつ多数のユーザーが同時に体験する施設やイベントを仮想化するニーズも高まっています。

執筆：堀 正岳

●人と人とが出会うあらゆる場所を仮想空間で演出する

VR化については、展示会、学会、スポーツスタジアム、映画館、美術館や博物館、ショッピングモールといったように、大規模かつ多数のユーザーが同時に体験する施設やイベントを仮想化するニーズも高まっています。

オフィスやライブイベントの事例でも見た通り、これらの催しについて建物や施設といったすべての側面を仮想化し、VR空間内で体験できるようにする必要は必ずしもありません。

たとえば学会や展示会で発表する情報を伝えることが目的ならば、多数の聴衆に対してテレビ会議システムZoomのウェビナー機能を用いたしくみで十分な場合もあります。美術館や博物館についても同様で、現時点で利用者が限られてしまうVRよりも、より多くの人がアクセスできる手段を用いるほうが合理的な場合もあります。

たとえば大英博物館は館内をGoogleストリートビューで公開しており、それを収蔵物のデジタル画像と並行して楽しむことで、擬似的に博物館を体験することは可能です。

しかしこのように公開されている展示会や美術館には決定的に足りないものがあります。それは講演が終わったあとに興味をもったユーザーがプレゼンターを囲んでおしゃべりするひとときであったり、友人と待ち合わせをしていっしょに会場を回る楽しみであったり、映画館のように同じものを見たあとで興奮を共有したりといった、提供されるコンテンツに対して余白のように付随している部分です。

こうしたやり取りの重要性を考慮して、Zoomには大きなイベントを細かいブレイクアウトルームというグループに分割する機能が実装されていますし、AcceleventsやvFairsといった、会議を参加者登録からプログラムに沿った開催にいたるまで仮想化するバーチャルカンファレンスサービスにおいても、参加者が自由に小グループを設定して集まる機能が実装されています。

Oculus Venuesで友人と待ち合わせをする

このようにイベントに付随するソーシャルな相互作用の重要性も考慮して、Facebook社のOculus Quest 2 用に開発が進めているのがOculus Venues 01 です。

2018年にリリースされた段階でのOculus VenuesはYouTubeのようなインターフェースでスポーツ観戦、コンサート、映画上映会といったイベントを選択し、ヘッドセットを用いて仮想的な劇場の中で視聴するというものでした。VR内で周囲を見れば観客の姿も確認できますが、他人とのやり取りは限定的でVRである必要性は比較的低いものでした。

2020年にベータ版が公開された新しいVenuesではこうした制限が大きく見直され、たとえば映画館のロビーで友人と待ち合わせをする、イベント会場で演者とファンが交流する、ミートアップを企画すると言ったソーシャルな側面が強まっています。たとえば映画の場合、上映前にフレンドとロビーで待ち合わせをし、劇場の隣り合った席に座って鑑賞し、上映後はプライベートな部屋を作って感想で盛り上がるといった、コンテンツをなかだちとした交流が可能になっているのです。

2020年のFacebook Connectカンファレンスで

01 Oculus Venues

Facebook社が開発を進めているOculus Venuesでの待ち合わせの様子。映画館やスポーツ観戦をする際に友人と待ち合わたり、感想で盛り上がることができる

はVR空間内に再現された会議場が登場し、アバターの姿で参加したユーザーたちは会場内を動き回って目的のセッションへとテレポートしたり、他の参加者と交流したり、講演とは別にブレイクアウトルームを設定すると言ったOculus Venuesの新機能を体験することができました。同様の技術はスポーツ観戦から、ショッピングモールまで、様々に応用可能であることが期待されます。

従来のVRコンテンツでは三次元空間の再現や高解像度化が重要視されていましたが、このように提供された空間内においてユーザー同士がどのように体験を共有するのかも含めた演出や、ソーシャルの側面の必要性が認識されたのは比較的最近のことです。

しかしユーザーはすでにVRの外の現実世界でもSNSやライブストリーミングで体験を共有することが当たり前になっています。既存コンテンツをVR空間に持ってくる際に、コンテンツ自体の面白さはもちろんのこととして、それに反応するユーザーのソーシャル相互作用をどこまで再現し、演出できるかが成否を分ける重要なポイントになりつつあるのです。

VRの中で開催される即売会イベント

イベント会場そのものをVRの中に構築し、直接製品を購入することができる市場や即売会を開催する動きもここ数年で加速しました。その代表例が、日本発で2018年から半年に1回開催されている「バーチャルマーケット」、通称Vket（ヴイケット）です。

VketはVRChat上で開催されている、3Dアバターや3Dモデルなどの鑑賞や購入が可能な即売会です。VRChatユーザーであるフィオ氏と彼が属するVR法人HIKKY、そして有志のメンバーらによる手作りのイベントとしてスタートし、参加サークルも来場者数もたった数年で急速に成長を遂げました。最初のVketでは参加サークルは約80、企業出展2社でしたが、執筆時点最新の「バーチャルマーケット5」においては、1,000以上の個人サークルと、ウォルト・ディズニー・ジャパン、東宝、テレビ東京を含む73社の企業が協賛し、過去最大の41個のVRワールドを横断する巨大な空間に即売ブースや企業の出展、VRアトラクションが展開されました。

来場者は自由の女神やピサの斜塔やニューヨークの摩天楼といった世界中のランドマークが配置されたワールドや、幻想的なファンタジーの世界、宇宙に浮遊する宇宙ステーションなどのワールドを鑑賞しながら、ワールド内に配置されたブースからVRChat内で利用するアバターなどを購入できます。

バーチャルマーケット5の時点で、VRChatにはアプリ内で製品を購買する決済機能がありません。そのため、ユーザーは会場のブースで製品を買う場合、BOOTHや企業の製品ページに誘導され、そこで購買を完了するという流れになっています。

VKetの成功を受け、同人誌即売会を行うComicVKet、音楽作品・音声作品の即売会のMusicVKet、インディゲーム展示会のGameVKetといった、テーマ別のマーケットも次々に登場しています。

それ以外にも、ピクシブが主催しているオンライン即売会のNEOKETや、急速にふえたスタンドアローンのヘッドマウントディスプレイOculus Questの

OculusQuestユーザー向けに開催されたVRモデル、3Dモデル即売会「クロスマーケット セカンド」の準備中の会場
https://id.pokemori.jp/cross-market2/

ユーザーを対象とした即売会である「クロスマーケット」が有志のユーザーの手によって開催される 02 など、VR経済圏の可能性はいま大きく広がりつつあります。

この経済圏は、VR上のマーケットに参加する人々の購買だけではなく、こうした会場で企業広告を行いたいというニーズ、より高度なVRの演出を行いたいというニーズも巻き込んで、新しいビジネスの可能性を生み出しています。たとえば今後、企業が製品発表会や展示会のために独自のVRChat上のイベント会場を設定することも想定されますが、こうした会場ワールドの設計、ブースの制作、VR体験演出のディレクション、3Dモデルやアートの制作、VR上のスタッフのノウハウ、そのすべてを運営するVRイベントマネージメントといった新しい仕事のニーズも高まることが予想されます。

VR世界に現実と同じようなイベントやモールを作れないかという消極的なフェーズはすでに終わりを告げ、VRの中で生活や観光や交友や購買を行うための体験が問われる、新しいステージがはじまりつつあると言っていいでしょう。

Section

既存のビジネスをVRが補完する

VRビジネスは仮想空間だけを舞台にしているとは限りません。
ある場所の現実や体験を、まるで風景を小包にして持ち運ぶように、
別の場所で視聴できるようにすることがビジネス上の価値を生み出す場合もあります。

執筆：堀 正岳

不動産業を変える「VR内見」

VRの特性を上手に利用すれば、既存のビジネスの根幹を変えることなく、その一部分をVRで置き換えて新しいビジネス的な価値を提供することが可能です。

たとえばマンションやアパートの購入・賃貸を行う際に、実際に物件を訪問してどのような間取りになっているか、雰囲気はどうなっているかをチェックする内部見学、いわゆる「内見」がありますが、これをVRで置き換える「VR内見」が不動産業の現場を変えつつあります 01 。

内見は数が多くなるほど移動も仲介業者と顧客とのスケジュール調整も大変になりますし、まだ先に物件を借りている住人の引っ越しが済んでいないために内見できないといったケースもあります。

こうしたとき、事前にRicoh THETAのような360度カメラを使って物件を撮影するか、iPhone 12のようなLiDARスキャナー機能を搭載したスマートフォンを利用して部屋の三次元モデルをフォトグラメトリという手法を使って作成することで、VR上で内見を行うことができるのです。3DVistaのVRウォークスルーシステムは、こうした360度画像から簡単に物件のなかを複数の視点で見学できる仕組みの例です。

顧客がVR内見で希望する物件を絞り込み、気に入ったものだけを実際に訪問するだけで、訪問する手間や機会損失を減らすことが可能になるのです。

建築中の物件のインテリアを決めるためにもVRを応用できます。たとえば株式会社アイプランの不動産向けVR内覧システムの「内覧くん」はVR内で壁紙、床材、家具などのインテリアを配置し、顧客は気に入った内容で見積もりを行うことができます。

同様の技術は、結婚式会場のテーブル配置やライティングをVRで再現することで、実際の会場を押さえずに仮想的に演出を決めていくといった応用もできますし、観光地の紹介や道案内を旅行者に事前にVRで提供しておくといったこともできます。

3DVistaのVRウォークスルーの例。簡単な撮影機材でリアルなVR内見素材を作ることができる

株式会社アイプランの「内覧くん」。VRを使って建築中の物件のインテリアを決めることができる
https://nairankun.com/

VRを使った実店舗と仮想店舗の連動

実際の店舗を訪問できない顧客のためにVR店舗を作成して、商品を感覚的な原寸で手に取ってもらうVRショッピングの分野も成長しつつあります。

Psychic VR Lab社が提供しているVRクリエイティブプラットフォーム「STYLY」 02 は広さばかりでなく重力などの制約もない仮想店舗をデザインし、そこに3Dで表現されたファッション製品を配置することが可能です。気になった服には「Like(いいね)」マークを付け、展示空間で友人とコミュニケーションしながらショッピングを楽しむことができるなど、VRならではの購買体験の設計を行える点も先進的です。

こうした仮装店舗は、実店舗とも連動した購買の流れを構築できる点も見逃せません。実際の店舗に足を運ぶことができる人はその近隣の人だけですし、店舗内に展示でき、さらにサイズ別の在庫を置くスペースや点数にも制約がありますが、仮想店舗ならば地理的な制限も、空間の制限もありません。VRを使って実店舗では展示できない商品も並べる、事前に手にとってもらうといった形で、顧客へのリーチが可能になるのです。

02 仮想店舗でのショッピング体験

株式会社Psychic VR Labと株式会社パルコがSTYLYを使用して開発した仮想店舗。現実には不可能な建造物や商品の配置がVRでは可能になっている(©PARCO CO.,LTD. © 2017 Psychic VR Lab Co., Ltd.)

VR緩和ケアから終活まで

病気や高齢のために自由に動くことができない高齢者に向けたVRの活用もはじまっています。

イギリスのケント大学の研究者は認知症の高齢者に対して浜辺や森林や大聖堂といった、本人が選択した風景をVRヘッドセットを通して体験してもらったところ、全体的な気分や社交性の向上、あるいはVRで見た風景をあとで絵に描くといった創作欲の向上が見られたことを報告しています。

また、シダーズ・サイナイ医療センターが行った研究によれば、病気による強い苦痛を感じている人がVRを体験することを通して一時的に苦痛を忘れ、QOL、つまり生活の質を向上させることが可能であることがわかっています。こうした知見を踏まえて、VRによって意識を別の映像に集中させることで出産時の苦痛や重度の火傷の治療における包帯の交換といった、極めて強い苦痛を緩和する試みも進んでいます。

医療的な効果を度外視したとしても、高齢や障害によって移動の自由をなくしている人、病気によってQOLが低下している人々に対してVRはひとときの自由や喜びを提供します 03 。

こうした緩和ケアから終活に特化したVRソリューションを提供したり、コンテンツを制作することにも社会的ニーズは高まっているわけです。

このように一見VRが応用できそうにない既存の分野においても、仕事の一部を置き換えることを通してVRが社会的意義を獲得しているケースは無数にあるのです。

03 VRが行動範囲を広げQOLを上げる

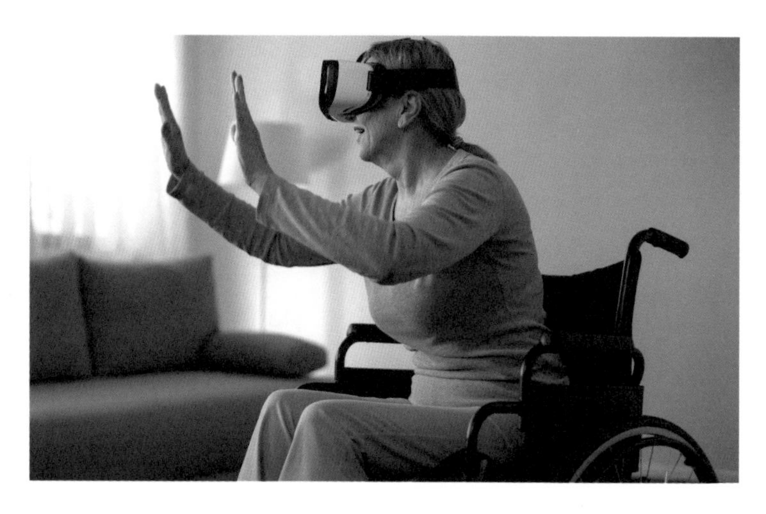

VRは病気や高齢のために移動の自由がない人にも、若い頃に訪問した場所を旅する自由を与えてくれる。VRが肉体的苦痛を緩和する効果も知られており、応用が広がっている（写真提供：Shutterstock）

VRで生まれる新しい職業

バーチャル空間のビジネス活用について説明してきましたが、ここでは個人や職業にスポットをあて、バーチャル空間によって生まれる新しい職業について考察します。

執筆：岩佐琢磨・堀 正岳

3Dキャラクターや衣服を生み出す職業

「聞いてくださいよ！新しいコ、お迎えしちゃいました」そう言ってかわいい3D美少女がクルリと私のVRヘッドセット内で回って微笑みかけてきます。声は私がよく知る男性の友人ですが、見た目はかわいい美少女です。聞けば、5,000円を払ってキャラクタークリエイターの作った3Dデータを購入したのだと言います。

「この衣装もかわいかったのでセットで買っちゃいました、似合ってますよね？」と、同じ美少女の服装違いを見せてくれました。このバーチャル洋服は、別の3D服飾デザイナーの方が作って、同じくデータを流通させていたもので、お値段1,500円也。

ピクシブが運営するBOOTHというC2Cデータ流通プラットフォームを覗くと 01 、無数の3Dキャラクターやアクセサリー類、洋服、果ては下着までが「販売中」として値札が付いて並んでいます。何千、何万といういいねボタンが押されていて、VR空間に行けば実際にそれらを着た誰かのアバターが歩いています。アバターや服飾アイテムは他者の持ち物ではなく、個人の所有物として様々なゲームやメタバースで相互利用できる方向で技術が進化しつつあります。

ずっと使える自分の持ち物となったことで、現実世界の身体や服飾品と同じく、愛着が増し「ここにお金を使ってもいいのではないか」と考える人が増えつつあるのです。そしてバーチャル空間での容姿を美しく、また個性的にするためのデータやプログラムを提供し、収入や名声を得る人たちが実際に生まれはじめています。「今日はVR空間で結婚式なんだ。ちょっと派手めの髪型と髪色にセットしてくれないかな」。現実世界の駅前理髪店ではありませんが、1,000円払うと10分でキャラクターの髪型をアレンジしてくれる、そんな仕事が生まれるかもしれません。しかも、現実世界のヘアセットは髪を洗えば取れていまいますが、バーチャルのヘアセットはボタンひとつで何度でも呼び出すことができるのです。

VRが生み出す新しい専門職

こうした例からもわかるように、VRの成長はVR専門職ともよべる新しい専門を生み出しつつあります。エンジニア、アーティスト、演出家といった既存の職業が、VRに特化した形で拡張され、新しい価値を生み出しているのです。

たとえばVR上でライブコンサートを開催したい、特殊な演出を試みたいといった場合に、それを解決するVRエンジニアという仕事を考えることができます。技術的にはVRサービスを支えているUnityや、VRChat専用のプログラミング言語であるUdonの知識を背景として、顧客が必要としている実装をVR上に実現することが業務となります。

VRエンジニアという確たる職業が存在するというよりも、解決すべき課題が要求している知識や経験を持っている人材をさしてこう呼んでいるといったほうが正確でしょう。

同様に、VR空間内の三次元的なアニメーションを実現するVRアニメータ、VR内のオブジェクトを作成するVRモデラー、VR空間そのものを設計するVRワールドデザイナーといった役割もニーズが高まっている人材です。

01 販売される3Dモデル

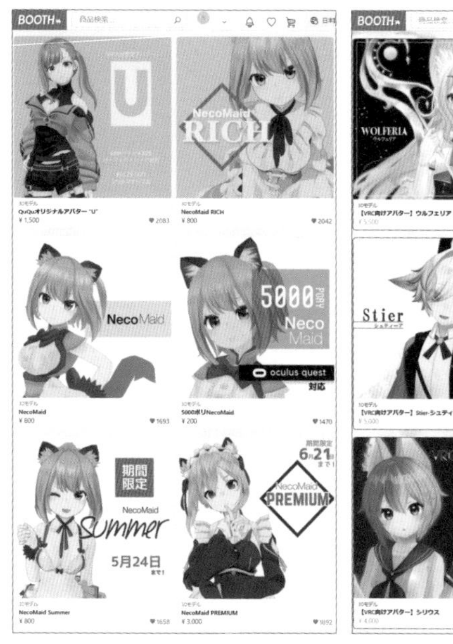

BOOTHで販売されている3Dモデルたちの一例。耳が生えた美少女キャラが人気だが、浴衣に草履姿の男性まで幅広いラインナップが揃う場所だ
https://booth.pm/ja

(左)ショップ名:QuQu　作者:sono氏
(右)ショップ名:ひゅうがなつみかん　作者:ひゅうがなつ氏

VRディレクターとVR演出家

今後必要性が高まると考えられている役割に、VR案件全体の統括を行うVRディレクターと、VR内のユーザー体験を設計するVR演出家があります 02 。

たとえば、広告代理店の依頼でとあるアーティストのコンサートをVR内でライブ配信するという案件が持ち上がったとしましょう。クライアント側には想定される動員数や希望する演出、許容しうるコストの制限などといった条件が存在します。

こうしたとき、VRディレクターはその案件に最適なエンジニアやアーティストの人材をキャスティングし、どのプラットフォームを使うべきか、どのような技術を利用すれば課題を解決できるか、予算規模は適当かといった課題に答えを出していく役割を帯びています。VRディレクター自身はVR技術の専門家である必要はありませんが、最新の技術の動向や人材スキルに対する正確な認識、そして案件を着地させるためのディレクション能力が必要になります。VRに対する関心の高まりにともない、VRディレクターの必要性は高まっていますが、まだまだニーズに追いついている状況ではありません。

それに対してVR演出家は、ユーザーがVR空間内で体験する構造物、映像、光、エフェクト、ユーザーの行う操作といった演出のすべてを統括する責任を持っています。たとえばVRChatで開催されたバーチャルマーケット5では、入り口に立ったユーザーの視点ではVR空間内に配置されている様々な世界中のランドマークが見え、それらはすべて重なり合わず、歩を進めてもお互いに干渉しあわないように巧みに配置されています。正面には一本の道が見えていますが、それに沿って歩いていくうちに手前には面白そうなブースが、その隣には別の建物が、といったように、奥へ奥へとユーザーを自然に誘導するように演出されています。こういった配置や全体の効果は、VR演出家が統括することになるのです。また、ユーザーのアバターがどのようにワールドのオブジェクトと相互作用するのか、どのような仕掛けを用意するのかといった驚きや感動を生み出すのも、VR演出家の仕事です。

VR演出家はユーザーが経験するこうした驚きや感動を、ワールドを作成しているVRワールドデザイナーや、VRアニメーターなどと協力して、理論と自らの感性を武器に設計していきます。映画や舞台の演出家の視点にとどまらず、空間設計、色彩設計、特殊効果といった視点でもVR体験を検討する視点が要求されるのです。

まだまだこれからのVR人材育成

これらの人材は、すでに案件のディレクションを行っている人物、演出作業を行っている人物、あるいはUnityプログラミング、3Dモデリング、イラストレーションといった技術的背景をもった人物がVRに触れるところから生まれてきます。

しかしVR自体がまだ黎明期にあるのと同様に、こうした専門的人材の育成もまだまだこれからという状態です。VRでビジネスを行うことを考えている企業は、まずこうした希少な才能をどこで発掘するのか、どのように育成していくのかという視点を持つ必要があるでしょう。

技術やプラットフォームの選定
VRに慣れていないクライアントとの調整
VRディレクター
VRに特化した予算規模の見積もり
VR外の仕事
VR側の仕事
VRエンジニア、VRアーティストのキャスティング
チームの作業の監督と進捗管理
課題解決のためのVR技術やVR演出への理解

仮想空間の構造物の配置や空間設計の演出
アバターに対するフィードバックの調整
VR演出家
ユーザー視点で見た驚きや感動の演出
VR空間内の映像、光、エフェクトの演出
利用体験を損なう要素や演出に対する指導や調整
ユーザー同士のソーシャル体験の設計

VR世界でのコミュニケーション

執筆：吉田尚記（ニッポン放送アナウンサー）

現実世界のライブや舞台では、ステージ上に演者がおり客席に観客が存在します。VR世界でも両者が存在することに変わりはありませんが、VR世界では両者がより一体となり、現実世界よりも密なコミュニケーションが生まれます。私はそれがVR世界ならではのエンターテインメントの醍醐味だと感じています。

例を挙げると、2021年現在も勢いが止まらないバーチャルYouTuber。バーチャルYouTuberのブレイクのきっかけは、2018年後半にVTuber四天王が人気を集めたことでしょう。

3DCGのアニメキャラクターが視聴者を認識してやり取りをはじめ、その中でも特に人気を集めたのがキズナアイ・輝夜月・ミライアカリ・バーチャルのじゃロリ狐娘Youtuberおじさん（ねこます）・電脳少女シロです（5人いても四天王、と呼ぶあたりに、勃興分野ならではの緩さと楽しさがにじみ出ています）。

当初彼ら彼女たちは、動画を制作して上げるスタイルが大半で、生配信はほとんどありませんでした。そこから最適化を繰り返し、現在は「生配信」で圧倒的な存在感を放っています。

2021年1月現在、作り込んだ世界観のバーチャルタレントは非常に少なくなり、「ライバー」、つまり生放送する人々が隆盛していますが、生配信に落ち着いたのには、収益構造に理由があります。YouTubeには、生放送している相手に直接送金できる、「スーパーチャット」があります。いわゆる「投げ銭」システムです。スーパーチャットの累計課金額の上位10名のうち7名がなんと日本のVTuberです（2020年8月末時点）。

VTuberに課金するメンタリティ

なぜ、バーチャルな存在がこれほど投げ銭を集めるのか。アイドルファンでもある私の個人的な考えですが、生身のアイドルに投げ銭をするのは少し生々しすぎるが、対象がバーチャルタレントであれば、リアルすぎずに投げ銭しやすいのではないでしょうか。

現実世界のアイドルを対象として、現金を直接渡すことはなくとも、チェキやCDの購入という形で投げ銭は行われています。しかし、アバターという架空の存在に対しての投げ銭は「お賽銭」に近いような感覚があります。いわば、お賽銭に対してリアクションを返してくれる神様がVTuberと言ったら、言い過ぎでしょうか。

Part. 4

VRからメタバースへ

Section 1 メタバースとは何か

これまで何度か登場してきた単語「メタバース」。
メタバースという「場」ができたことによって、VRの重要要素に社会的相互作用が加わり、
新しいプラットフォームとして勢いを増していることを解説します。

執筆：大屋友紀雄・岩佐琢磨

メタバースはVR体験＋社会性

本書ではここまで様々なVR体験について取り上げてきましたが、いまもっともホットなVR体験が「メタバース」です。この言葉は1992年の小説『スノウ・クラッシュ』で有名になりました。小説内では多くの人達がVRヘッドセットを被ってコンピュータによって生成された世界に接続し、別の場所から接続している人たちと様々な対人コミュニケーションをしながら、現実世界よりも長い時間をそこで使う様が描かれていました。

最近の作品だと、ソードアート・オンラインや、レディ・プレイヤー１といった近未来フィクションで描かれている世界のようなもの、と理解するのが手っ取り早いかもしれません。

小難しく定義するならば、社会性を備えたVR体験のことを指します。VR空間に入ればそこに誰か他の人間（アバター）がいて、彼らとコミュニケーションをしながら、あなたもその世界の一員として構成されることが、「社会」なのです。

社会というと、何かビジネスライクなものを感じるかもしれませんが、実際のメタバースはもっとずっと身近なものです。現実世界を見てください、経済活動ではない人と人との社会性あるやり取りもたくさんあるはずです 01 。

向かいの家のおばあちゃんが庭で取れた野菜をおすそ分けしてくれるのも社会ですし、おっちゃん、おばちゃんたちの一見無用な井戸端会議だって、社会を形作るために必要なものでしょう。VRヘッドセットを被って潜るメタバースも同じようなものです。

VRヘッドセットの向こうに見える景色の中で、人と人がコミュニケーションしながら語り、楽しみ、ときには喧嘩もする。そんな人間社会と同じような営みを、現実世界の制約に囚われることなくできることが、メタバース最大の魅力なのです。

創造と消費

『バーチャルリアリティ学』（コロナ社，2011年）では、ここまで述べた内容に加え、オブジェクト（アイテム）を創造できることという要素をメタバースの定義に含めています。付け加えるならば、無形のコンテンツであっても消費を促す創造ができればこの定義にあてはまるはずです。たとえば自らのアバターでダンスができる仕組み、それを見て拍手とエールを送れる仕組みがあれば、メタバースのいち要素を十分に備えていると言えるでしょう。造形ツールを使って3Dアイテムを作りだすことだけが創造ではないのです。

創造したものを誰かにあげる、トレードする、場合によっては金銭をやり取りして売買するといった要素を備えるメタバースも多く、こちらもメタバースを構成するなくてはならない要素となりつつあります。

コミュニティ

メタバースにおける最大の求心力は、そこに集う人のコミュニティと、彼らとのコミュニケーションです。メタバースにたった一人でログインして誰とも関わろうとしなければ、その魅力の1%も知ることはできないでしょう。誰ともフォロー・フォロワー関係にならないSNSは、ただの日記帳であるというのと同じことです。VRヘッドセットの中で誰かのアバターとつながって、その人との間でコミュニケーションや、創造と消費を行うことをしないのなら、メタバースを体験しているとは言えないでしょう。

01 メタバースとは？

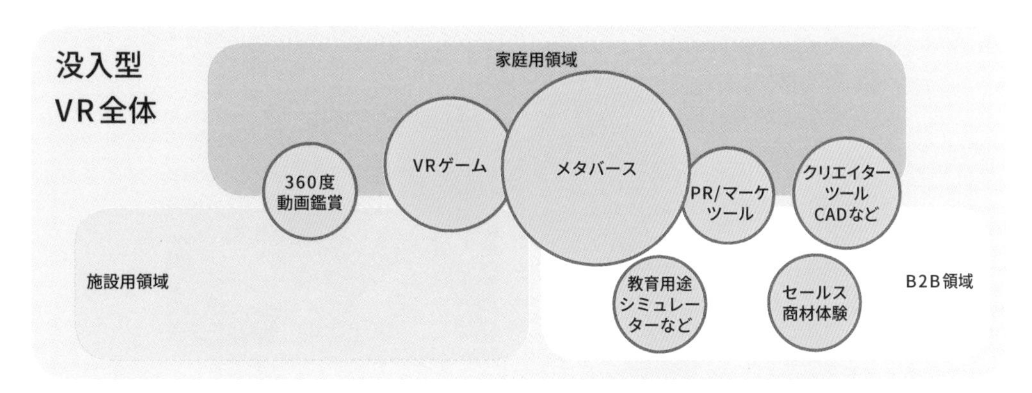

メタバースはあくまでVR体験における１つの形だが、メタバースの中でゲームを楽しんだり、商材体験をすることもできる

ミラーワールドとの違い

メタバースとよく似た定義にミラーワールドがあります。これらは混同しないように注意したいところです。メタバースは「現実とは異なる社会」を生み出していこうという考え方です。もちろん現実世界を模したメタバース上の場所は存在しますが、現実の場所のコピーを作ることがメタバースの主目的ではないからです。

一方のミラーワールドは、現実の地理的な空間をネットワーク上に再現していく考え方です。ミラーワールドが現実の地理空間を元に世界を構築するのに対し、メタバースは人間同士の関係性によって世界が構築されていくアプローチとも言えるでしょう。

メタバースが生まれるまでの軌跡

MMORPG

1997年に発売されたゲームUltima Online(以下、UO)や、国内で流行したラグナロクオンラインといった多人数同時接続型PCゲームは現代のメタバースの先駆けと言えるでしょう 02。世界中様々な場所から同時にひとつの世界を共用し、そこで他のプレイヤーたちと「社会」を構成して楽しむゲームです。誰もが勇者になってドラゴンを倒しに行かなくてはならないわけではなく、宿屋の経営だけをして冒険に出なくてもいいし、何もせずただ街をうろうろして立ち話ばかりしていてもよかったのです。まだPCも今ほど普及する前の時代でしたが、メタバースの楽しさと通じるものがあり、現実世界の生活が危うくなるほどのめりこむプレイヤーが続出しました。

Second Life

もうひとつ、極めて現在のメタバースに近い体験のサービスが、2003年にはじまったSecond Lifeです。PCの画面上で楽しむという点だけが現在のメタバースと異なるのですが、日本円や米ドルに交換できるゲーム内通貨を用いたプレイヤー間での経済活動や土地売買、衣服の売買など、バーチャル空間上での社会生活という意味では現在もSecond Lifeを超えるサービスは出てきていません。当時はVRヘッドセットを使わないものの、この種のサービスをメタバースであると表現することが主流でした。

驚くべきことはこれらのサービスもゲームも、現在においても継続していること。UOに至っては24年目に入っていまなお健在というのですから驚きで

02 メタバースの先駆け

Ultima Onlineの街では、開始から24年経ったいまも、バーチャルな人々が行き交う(https://uo.com/)

Part.4

す。中国に返還されてからの香港と同じだけの歴史があるというのは、まさしく「社会」と言えるでしょう。

コミュニケーションゲーム

任天堂から2001年にリリースされた「どうぶつの森」シリーズもまた、メタバースの要素を色濃く含んだ作品です。ゲームには一応の目的が定められていますが、プレイヤーは自分の好きな趣味の部屋を作ったり仕事場を再現したりして、誰に強制されるわけでもなく自由にゲームの中で遊ぶことができるのが特徴です。特に最新作「あつまれ どうぶつの森」ではこの機能が強化され、そっして作った空間に友達同士集まり、コミュニケーションを楽しむことが流行しました。この体験は実にメタバース的なものと言えるでしょう。自ら作った洋服や家具のデザインを配布することができる機能も同様です。

サンドボックスゲーム

Minecraftや Robloxといった主たるクエストや目的がないサンドボックスゲーム（サンドボックス＝砂場の意）も、メタバース的なジャンルとして挙げられます 03 。Minecraftではユーザーが自分なりの遊び方を見つけてプレイしますが、現実世界にある巨大な建物を、多くのプレイヤーが自主的に協力して Minecraft世界内に作り上げたりする他、友人同士で定期的に集まって雑談を楽しむなど、コミュニケーションの場としても機能しているからです。

Robloxは誰でも簡単にゲーム内にミニゲームを開発できるプラットフォームですが、Roblox社は一切ゲームを作らないという点が特徴です。ミニゲーム開発者が何百万人と居るため、作る人と遊ぶ人で社会が形成されて自走しています。日本ではほぼ知名度がありませんが、アメリカとイギリスの子どもたちの大半が使っているといいます。

Minecraftと Robloxに共通する特徴は、ユーザーが自主的に生み出すコンテンツによって成長していく点です。これは実にメタバースらしいと言えるでしょう。

03 各種のコミュニケーションゲーム

サンドボックスゲームという名前を世界に知らしめることになった大ヒット作、Minecraft（https://www.minecraft.net/）

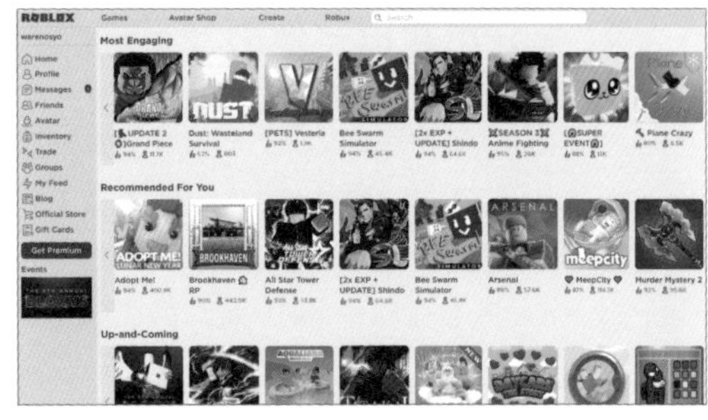

Robloxの起動画面。無数の「世界のどこかで誰かが作った、メタバース内で遊べるゲーム」が並ぶ（https://www.roblox.com/）

Section

2 メタバースに最も近いサービス「VRChat」

現在、世界でもっともメタバースらしい環境は何か？ と聞かれたら、
本書の執筆陣は声を揃えてVRChatだと答えるでしょう。
ここではVRChatの概要と、様々なワールドの魅力に迫ります。

執筆：岩佐琢磨

VRChatとは

VRChatは、Part.1で述べたOculus Rift登場の熱気とともに2014年に産声を上げたシリコンバレー生まれのサービスで、基本無料で利用することができます。VRデバイスを使って体験することが基本ですが、PCから参加することも可能です。

チャットと銘打ってはいますが、文字を使うことはありません。一言で言えば「同じVR空間にアバターの姿となって入り、誰かとおしゃべりをしながら遊ぶ」だけのシンプルなサービスです。

視界に入ってくるのがバーチャルな世界とアバターであったとしても、二次元に切り取られた映像とは比べ物にならない没入感がVRChatや同種のVRコミュニケーションサービスの特徴です。その没入感を形成しているのは、アバターの向こう側に居る「他のプレイヤー」たちとのコミュニケーションなのです。

VRChatの発展と他のサービスとの違い

全世界での同時接続数はピークで4万人。数百万人が楽しむVRChatは、同時接続数1,000万人のFortniteや160万人を超えるRobloxなどと比べるとまだまだ小さなプラットフォームです。ですが、FortniteはEpic games社が提供するコンテンツをみんなで楽しむ、片側通行の従来型コンテンツとして見るべきです。Robloxはそこから一歩進んで、ゲームクリエイターとプレイヤーという関係性を作りましたが、ゲームプラットフォームに特化しています。

そこに社会が形作られていく、という考え方で設計されていることや、すでに小規模ながら社会が形成されつつあることを鑑みると、メタバースの本質という観点ではVRChatが頭ひとつ抜きん出ており、注目のプラットフォームというわけです。

ワールドとインスタンス

VRChatを特徴的にしているのは、ワールドとインスタンスという概念です 01 。MMORPGのようにひとつの広大な3D空間が広がっているわけではなく、ワールドと呼ばれる一つひとつの小さな三次元空間を選んで、そこに各プレイヤーが「Join（入る）」するというスタイルをとっています。

中世を舞台にしたMMORPGであれば、そこにサイバーパンクな雰囲気は作れませんし、宇宙空間を持ってくるわけにもいきません。VRChatではワールド単位で文字通り小さな世界を作る仕組みになっているので、ありとあらゆる世界観を楽しむことができるのが特徴です。小さな、と言ってもワンルームマンションの1部屋から、都市1つぶんぐらいまで規模感は様々なのですが。

ワールドと対になる概念としてインスタンスがあります。ワールドとは世界の設計図であり、この設計図を使って、各プレイヤーが好きなだけ自分たちだけの空間を「作り出す」仕組みです。作り出した空間のことを、インスタンス（実際に作られたもの）と呼びます。インスタンスは誰でも瞬時に作り出すことができ、自分が作ったインスタンスは、そこに誰がJoinできるかを選ぶことができます。

VRChatはグローバルのサービスですから、誰でもJoinできるようなインスタンスを作ると、英語に限らずあらゆる言語を話すプレイヤーたちがJoinしてくるかもしれません。これはこれで刺激的ですが、自分と友達だけでのんびりと話すインスタンスを作ってゆったりと楽しむことも、また良い体験です。

01 VRChatの仕組み

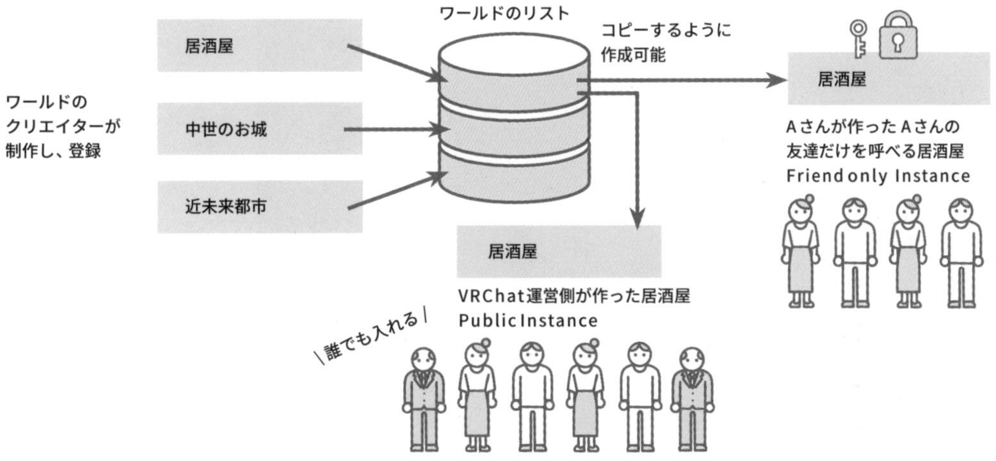

ワールドの
クリエイターが
制作し、登録
居酒屋
中世のお城
近未来都市
ワールドのリスト
コピーするように
作成可能
居酒屋
Aさんが作ったAさんの
友達だけを呼べる居酒屋
Friend only Instance
居酒屋
VRChat運営側が作った居酒屋
Public Instance
＼誰でも入れる／

時間と空間を超える新しい旅行

VRChatは一定の制限はあるものの、事実上誰でもワールドを作ることができます。ワールドの用途も定められていないので、VRChatの目的である誰かとコミュニケーションすることに特化した、びっくりするような用途のワールドまで様々です。

美しい空間を仲間と旅し、会話しながら写真を撮って共有する。現実世界では当たり前の「友人と旅行」という体験ですが、VRChatでは部屋から一歩も出ることなく行えます。写真をとって共有するという体験も、ほぼ現実と変わりません。

歴史的建造物をバックに友人を立たせてカメラを構える。「もうちょっと左。そうそう、その手すりを掴んで、笑ってー！あ、かわいいね。はいチーズ」旅行先では当たり前のやり取りですが、VRChatで美しい風景のワールドにいくと、こんなやり取りがVRデバイスの中で繰り広げられます。

現実世界ではもう見ることができない歴史的風景を楽しむこともできます。たとえば2019年に焼けてしまったノートルダム寺院はVRChatのワールドとしてパリ市公認で再現されています 02 し、お城EXPO 2020に合わせた期間限定公開ではありましたが、安土城を再現したワールドも登場しました。現存しない安土城の天守閣に登って記念撮影する体験をすることは現実世界では不可能ですし、そこで「じゃあ、次は宇宙にいかない？」のひと声で静止衛星軌道にジャンプしてISSをバックに記念撮影を楽しめる。全く異なる時代や世界観、現実では不可能な場所を同じ空間に居る仲間たちと次々と楽しめる体験は、VRChatのワールドというシステムならではです。

02 VRChat内のノートルダム大聖堂

2020年の大晦日、VR内のノートルダム大聖堂にて、ジャン・ミッシェル・ジャール氏によるコンサートが行われた（ワールド名：Jean-Michel Jarre At Notre-Dame、作者：VRrOOm氏）

バーチャルの脱出ゲームは現実を超える

脱出ゲームという遊びがあります。謎を解いて閉じ込められた場所から「脱出」することを目的とした体験型ゲーム・イベントですが、VRChat内の現実空間ではありえない非日常的な空間で遊ぶこの手の謎解きゲームの楽しさは格別です。その他にも様々なエンターテインメントが存在します。

富士急ハイランドの名物アトラクション「戦慄迷宮」のようなホラー体験ができるワールド。真っ暗な部屋に入ると右から物音がして、首を右に振ったら、視界を覆わんばかりの距離から首なしゾンビが襲いかかってくる。VRの没入感で体感すると心臓が凍りつくような怖さです。ホラー映画好きの友達と潜れば、大絶叫しながら楽しめるはずです 03 。

美しい白い砂浜のワールドに行けば、つい水着に着替えたくなります。数秒の操作で水着アバターに着替えて写真をぱしゃり 04 。ひとしきりみんなの水着姿を褒め合ったら、そのまま海に入って深海までダイブ。友達といっしょにウミガメの背に乗り、優雅に泳ぐマンタやクジラを眺めがなら、楽しくおしゃべりをすることも簡単です。

バーチャルな日常

とても人気のあるワールドのひとつは、普通の日本家庭です。決して広くはない1LDKのマンションの一室に、こたつとベッドとテレビがある「坪倉家」は、ちょっと仲間と集まって話したいときによく使われるワールドです。現実世界の自分の家のように、VRChat内に自分の家を持っていて、そこをホームのように活動しているユーザーが増えています。

重要なのは、ワールドの美しさや非日常具合だけではありません。「仲間といっしょに」「様々な」体験を共有することこそがVRChatの魅力なのです。

03 VRでのレジャー

ホラーワールドでのワンショット（ワールド名：Shattered World Episode 1、作者：dooly123氏）

04 VRでのアクティビティ

海辺で水着の撮影会（ワールド名：Deep Blue、作者：Fins氏）

Section 3 VRの中で生まれるコミュニティ

**VRの世界の中でユーザーは一体なにをし、どんなコミュニティが発生しているのかは、
そこに入ったことがない人にはまだ想像がつきません。
バーチャルな風景やコンテンツを楽しむばかりではない新しいコミュニティを紹介します。**

執筆：堀 正岳

Part.4

豪華なVRホストクラブでできる体験

前節で、いまもっともメタバースに近いVRサービスであるVRChatが、単に様々なワールドを訪問して絶景を楽しむだけの場ではなく、友人とゲームを楽しんだり、交流を深めることを念頭に設計された場であることを見ました。

ユーザーは独自のワールドを作成することも自由ですので、VRChatは受け身で楽しむ場ではなく、新しい活動の場をユーザーが能動的に生み出すプラットフォームでもあるのです。

本節ではさらに一歩踏み込んで、VRChatを例にとってVRサービスがメタバースに近づくことで生まれる様々なコミュニティの可能性についてみていきましょう。

VR内に生まれた疑似的な店

VR内での交流が深まると、話題は「どこにいく？」から「何をする？」に変わっていきます。たとえばVRChatを例にとると、同じ興味をもったユーザー同士が疑似的な店を開店する、あるいは待ち合わせをして部活動に近いアクティビティを行うといった動きが見られるようになります。

こうした「店」としてVRChat内で有名なのがユーザーのJohnnyYamada氏が主催する「Altair（アルタイル）」とアルタム氏が主催する「Altermoon（アルタムーン）」というVRホストクラブです 01 。

ホストクラブに行ったことがなく、なんとなく怖そうなイメージを抱いている人も多いと思いますが、VRChat上のホストクラブはあくまでアバターの姿でトークを楽しむ場ですので、興味をもったユーザーは気軽に訪問することができます。

それでも、その体験は本格的です。これらの店のために作成されたワールドは豪奢な内装や天井に届きそうなほど高いシャンパンタワーが用意されていますし、黒服やバーテンダーの役を演じているユーザーがそれらしいアバターで忙しく動き回っています。店を訪問したユーザーは、バーテンダーにドリンクを注文して席に着き、そこで指名したキャストとのトークを楽しみます。

キャスト役のユーザーは容姿端麗なアバターを使用していることが多いものの、中には角が生えていたり、翼が生えていたりといったようにVRならではのアバターの演出も目立ちます。店内にお酒のボトルやグラスのオブジェクトは揃っていますが、もちろんVRですので本当にお酒を飲むことはできません。客はキャストのトークや雰囲気を楽しむとともに、主催側も客を演じるユーザーを楽しませることを通して自らも楽しむのが、仮想店舗の不思議な連帯感です。

似たようなお店の中にVR内でのメイドカフェ、執事カフェといったものも存在しますし、魔族BARのように店員の多くが魔族のアバターをしている、VRならではの店も存在します。

こうした店のサービスは有志によって無料で開催されていることがほとんどです。店と名前が付いているのでお金のやり取りがあるように見えますが、実は役割を演じる側とそれに参加する側の、交流の場と理解するほうがわかりやすいでしょう。

01 VRChat内に存在するカフェやクラブ

VRChat内にあるVRホストクラブ「Altair（アルタイル）」の店の様子。店員と客が会話とロールプレイを楽しむ交流の場として人気がある

「部活動」を通して楽しみを共有する

VRに特徴的なもうひとつの人の集まりに、部活動に近いものがあります。部活動は興味をともにしている人が時間と場所で待ち合わせをして活動を楽しむのが基本ですが、VR内でもこれに近いものが無数に存在します。

たとえばVRChatの「ラジオ体操部」と名付けられたグループは、メンバーが毎朝決められた時間に起床してVRChatの中で集合してラジオ体操をする活動をしています 02 。ラジオ体操は上半身の動きが多いため、首や両手の限られた動きしか反映できないOculus Questユーザーであっても、愉快な動きをVRChat上で再現することができます。

もともとは、一人ではなかなか運動をしないので仲間といっしょに身体を動かしたいという目的でユーザー同士が約束して集まったのがはじまりでしたが、やがてこの場を通して新しい交流が生まれ、お店を作る人もいれば気に入ったワールド作りを共同で行うといったように、新しい行動を起こすための社交の場にもなっているのです。

それ以外にも、集まって合唱をするグループ、朗読を行うグループ、英会話をする、ダンスやヨガを楽しむといったように、興味の数だけ活動の場は広がっています。

VRChat上で部活動が盛んなのは、ユーザーにとってVRに来ること自体が目的なのではなく、そこに居る人々と出会い、興味を共にする人々と活動をすることが目的になっていることを示しています。

VRがメタバース化するということは、VRそのものが目的なのではなく、ソーシャルな活動に参加するという目的を実現するための手段がVRだとも言えるのです。

02 VR内でひろがる様々な部活動

毎日朝に集合して体操を楽しむ、VRChat Questラジオ体操部の活動の様子

VR上の新しい恋愛のかたち

VRがメタバース的な側面を持つにしたがって、そこには現実と同じ様々な人間関係が生まれるようになります。たとえ恋愛でも。

自分も相手もアバターの状態ですので本当の顔を知らない場合もあるのに、VRの中で出会った人に恋愛に近い感情を抱いて人間関係を結ぶユーザーが実際にいます。それがVRChatで通称「お砂糖」と呼ばれているユーザー同士の関係です。

「お砂糖」の関係になっているユーザーは擬似的な恋愛を楽しんでいるライトなユーザーから、真剣な恋愛感情を抱いている人まで様々です。しかし共通しているのは、VRChat内のアバターの魅力、声や仕草、相手を思いやる気持ちといったように、現実と変わらない恋心がユーザーを突き動かしている点です。

そうした気持ちを相手に打ち明けて、受け入れてもらえた場合に二人は「お砂糖」の関係になります。この通称も、現実の恋愛の恋人という言葉を使うのは重すぎるものの、相手に対して魅力を感じていることに偽りがないことを表現したかわいらしい言葉だと言えるでしょう。

VRChatを体験していないに人には伝わりにくいかもしれませんが「お砂糖」の関係は男女間ばかりとは限りません。VRChatユーザーは男性が多いため、むしろ男性同士の「お砂糖」関係のほうが一般的なほどです。現実におけるその人の性的指向とは無関係に、VR内での恋愛感情は成立しているのです。

VRChat内のアバターはコピー可能ですし、ユーザーは声をごまかせないことが多いので性別を偽っているわけでもありません。それでもVRChat内で出会った二人が互いに魅力を感じるのは、声やアバターの仕草を通してその人の本質を見ているからかもしれません。

VRは現実ではありませんが幻でもありません。VR内で感じた恋心は、VRを通してその人の心が本当に動いた結果なのです。VRがメタバースに近づきつつあることの、これ以上の証拠はないと言えます。

コミュニティがVRの外に溢れ出す

VRChatに夢中になっている人は空き時間のほとんどをその中で過ごすくらいに熱心ですが、それでもVRChatはユーザー間の交流のすべてを受け持つことができるほどにはまだ発展していません。

VRChat内で待ち合わせをしたり、時間を決めて行動したりといった場合に、多くのユーザはVRChatの外側にある別のSNSやアプリを使います。たとえばVRChatのユーザの多くは専用のDiscordチャンネルに登録して、そこで様々に分かれている部活動やイベントのスレッドに参加して交流する相手を探しています（次ページ 03 ）。

また、まだつながっていない相手に自分の活動を広めるにはTwitterが使われています。ハッシュタグ #VRChat で検索すれば、その日にVRChat内で起こったおもしろい出来事や、交流を数多く発見することができます。そしてVRChatで仲良くなったユーザー同士が他のオンラインゲームをいっしょにプレイしたりすることも多くあります。

仲が良い友人同士がいっしょにゲームをするのは自然に見えますが、VR上の知り合いは、相手の本当の名前や顔やどこで何をしている人かも知らないケースがほとんどです。Facebookでつながった人とオンラインゲームを楽しむといったことがどれほどあるでしょうか。それに比べ名前も顔も知らなくとも、VR上で出会った人同士は強いつながりを維持しているとも言えるのです。

VRChatに限らずVRメタバースの動向を知りたい人ならば、VRの外側にも溢れ出すこれらの人の網目にも注目するといいでしょう 04 。

03 VRChat内で開催されている音楽イベント

Club Ruinsによる音楽イベントの様子。こうしたイベントの企画や相談はVR内だけでなくDiscordやTwitterで行われており、VRメタバースのやり取りがVRの外にも広がっている

VRのコミュニティは「救い」になる

　ここまで、VR内に生まれるコミュニティについてみてきましたが、ここで考慮すべき大事な点があります。それはVR上に存在しているコミュニティが、必ずしも現実のコミュニティと対応していないという事実です。

　たとえばVR上でホストクラブに勤めている人が現実でもホストクラブに居るのはむしろ例外のケースですし、VR上でダンスパフォーマンスをしている人が、現実の世界でも人前でダンスを見せているとは限らないのです。現実では一見ホストをしているように見えない人や、ダンスをしているように見えない人が、VRChat内では有名なキャストであったり、ダンサーであったりするのです。

　この「一見○○に見える」という思い込みは、VR内では意味を持ちません。このことは自身の外見にコンプレックスを抱いている人、家庭に居場所がない人、現実の世界においてマージナルな立場におかれている人が、メタバースでは受け入れられ、他者と交流する喜びや救いを見いだせる可能性を示しています。

　VR内でコミュニティを生み出し、それを維持している人々の動機や熱意について知るのも価値があるでしょう。たとえばVRホストクラブに属しているキャストに話をうかがってみると「人を楽しませることで自分も楽しみたい」と感じていたり、「現実の自分とは違った異なる自分や役割をロールプレイすることに楽しみを見出している」と言う人が多くいます。

　VR内に新しい居場所や役割を見出している人が増えているという事実は、メタバースが今後どのように発展するかを予測する上で鍵となる考え方なのです。

04 VRの外に溢れ出すコミュニティ

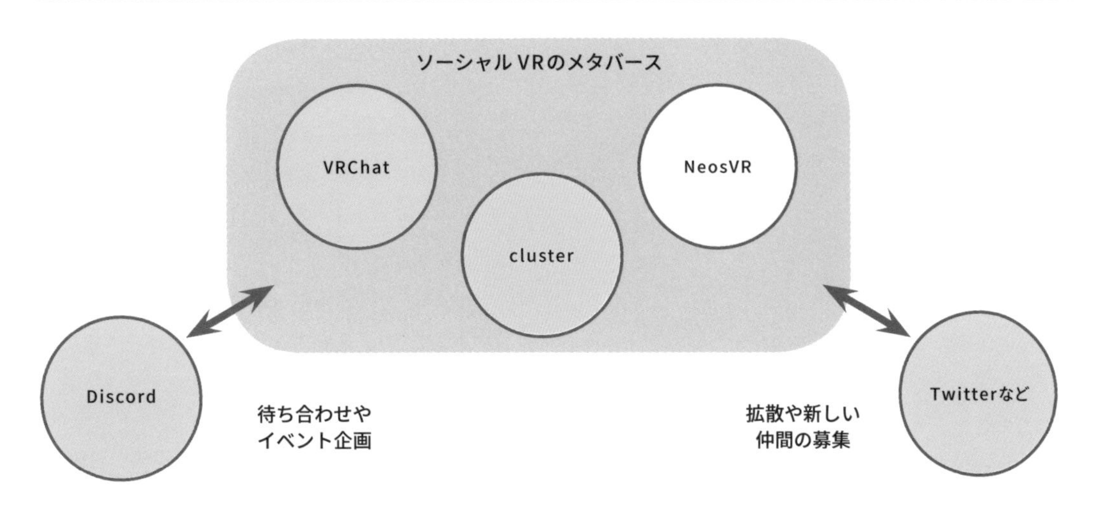

Section

4 アバターはメタバースを生み出す原動力

VRの中に私たち自身が居るという感覚は
アバターから生まれます。アバターにリアリティを感じるからこそ、
VR内にコミュニティが生まれます。

執筆：堀 正岳

私たちはアバターを通してメタバースを体験している

ここで少し寄り道をして、アバターについて考えを深めたいと思います。

「アバター」とはVR空間の中でユーザーが操作するキャラクターのことで、サンスクリット語のアヴァターラ、つまり神や仏の化身を指す言葉が由来です。神話の登場人物が姿を変えられるように、ユーザーがVR内での自分の外見を自由に変えられることが概念的に似ていることから使用されるようになりました。

アバターはVRに固有なものではなく、ツイッターのプロフィール画像や、メッセージアプリ内で使用するアイコンも、広い意味ではユーザーを表しているアバターと考えることができます。表示されているアイコンはただの画像であっても、それを見ているうちに個々のユーザーを「花の人」「アニメ絵の人」と識別するようになった経験をした人も多いでしょう。このとき、そのアイコンはそのユーザー自身を視覚的に表象している代替物、つまりアバターと言えます。もっと踏み込むと、私たちはアバターをその人自身と認識しているのです。

このようにユーザーを指し示す役割に加え、VR上のアバターにはユーザーがVR空間を体験するうえで必要な身体性が備わっています。

VR空間内を移動する、手を動かしてVR空間のオブジェクトを掴む、ユーザーが話すとそれに合わせて口元が動き、表情が変わるといったように、ユーザーはアバターを通してVR環境を体験することになりますし、アバターを通して他のユーザーと交流します。アバターは単に見た目を表現する機能ではなく、ユーザーがどのようにVR空間を体験できるのかを決定付けます。

VR空間内における自己投射性、つまり「自分がそこに居る感覚」を、私たちはアバターを通して感じています。言い換えるなら、私たちはアバターを通してメタバースを体験しているのです。

アバターの見た目と機能

いくつかのVRサービスにおけるアバターの違いを見てみましょう。アバターはユーザーの代わりとなってVR空間内に表示されるものですので、その姿はヒト型が基本ですが、VRサービスがどのような機能を提供しているかによって、見た目やユーザーにとって利用可能な操作に違いがあります。

一人称視点か、三人称視点か

たとえばVRサービスの草分け的なサービスであるSecond Lifeや、近年開発されたclusterもスマートフォン版ではアバターは三人称の視点で描画されています。ユーザーは一般的なゲームの感覚でキャラクターを見ながら操作するのです 01 。これに対してヘッドマウントディスプレイを前提としたVRChatなどのサービスでは、ユーザーはアバターの視界を通して環境を見る一人称視点のタイプのものが主流です。この場合、ユーザーは自身のアバターを見ることはできませんが、VR内で鏡を見たり、手足を操作することで視覚を通して自分がそのアバターを「着ている」ことを実感します。

VRサービスによってアバターの表示範囲や可能な動作も異なります。たとえばVRChatではアバターは全身で表現されますが、Facebook Horizonの場合、アバターは上半身だけです 02 。こうした表現の差は、VRサービスがユーザーに提供する機能やアクティビティの設計思想の違い、想定されているハードウェア（ヘッドマウントディスプレイなのかスマートフォンなのか）の制約に起因しています。

01 アバターの見え方の違い

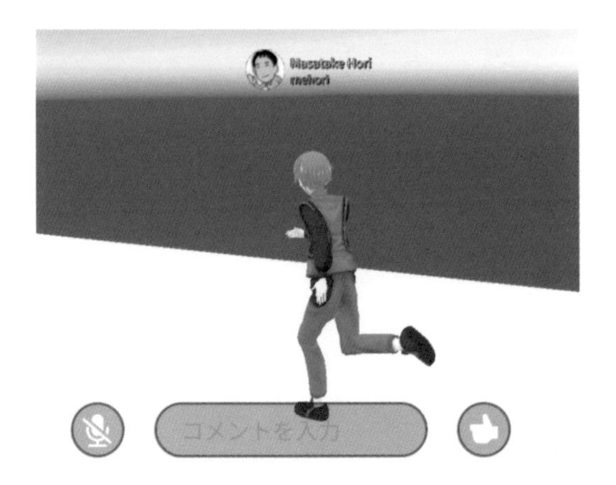

clusterのようにアバターを三人称視点で操作する場合と、VRChatのように一人称視点で操作する場合とがある

02 上半身だけのアバターもある

Facebook Horizonの場合、アバターは上半身だけで表現されている

正確な見た目か、自由な見た目か

アバターの見た目にも様々な種類があります。基本形のアバターに対して性別、肌の色、顔のパーツや髪などをカスタマイズするタイプのVRサービスもあれば、3Dモデリングされたアバターを選択して身にまとうタイプのものもあります 03 。前者は現実における自分自身の姿を正確に表現できるのに対して、後者は人間の姿だけではなく恐竜や宇宙人、動物や家具といった姿にまで変化できる自由度があります。

アバターはVR空間の中で移動することや、手足や指の動き、姿勢や表情の変化をつけることができるものもあります。Facebook Horizonは現実世界の対話に近いものをVRで表現することを目指していますので、アバターを現実の人物に合わせてカスタマイズできますし、柔軟な表情の表現も可能になっています。それに対してVRChatはVR環境を楽しむことに特化しているため全身が表示されており、フルボディトラッキングデバイスを装着しているなら手足の動きもVR空間内で表現することができます。

アバターとVR空間との相互作用

VR環境とインタラクティブにやり取りするために、通常アバターはそのVRサービスに特化した機能

03 アバターを身にまとう

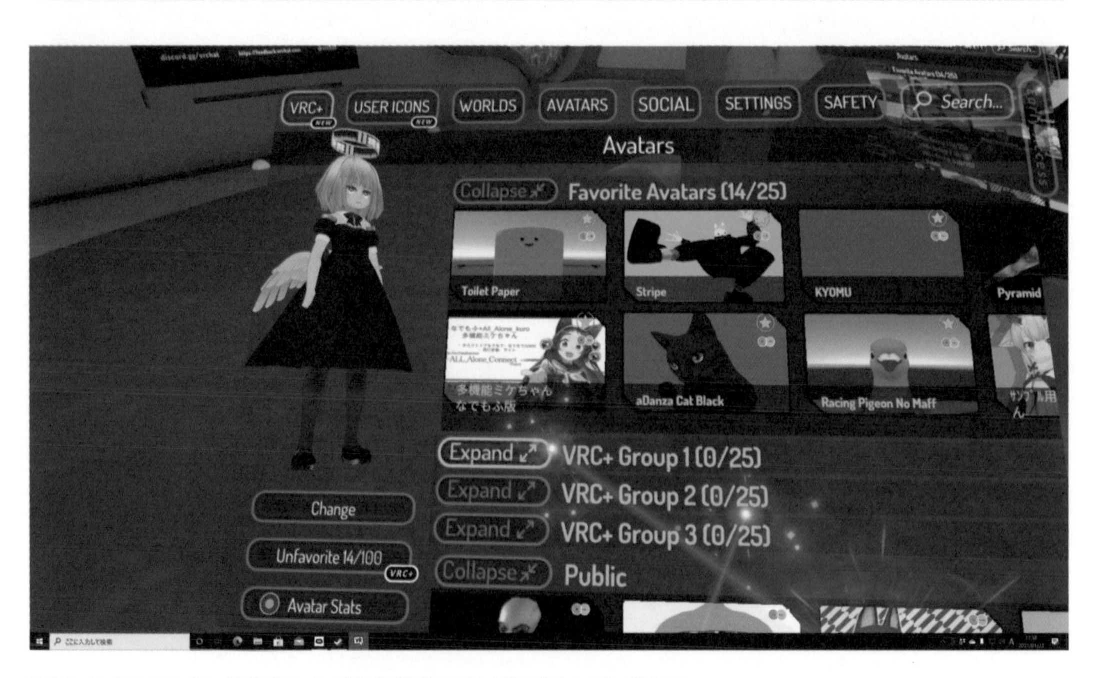

VRChatにおけるアバター選択画面。その時の気分次第で様々な姿に変わることができる

と対応付けられています。たとえばVR空間内に置かれたコップや食器といったオブジェクトを掴む、VR内のボタンを押すといったように仮想空間内の物理現象を操作するものもあれば 04 、VR空間を高速に移動するために空を飛ぶといったように、ユーザーはVRサービスの機能をアバターの操作として引き出すことができます。また、自分の意志を吹き出しのメッセージとして表示させたり、実際に音声をアバターに喋らせることも可能です。

コントローラーなどで操作する必要上、アバターには現実の肉体に比べて表現できる動きに制限があります。また、顔の表情は手元のボタン操作で行うなどといったように、現実の人間の動きとアバターの挙動が対応していないケースもあります。ユーザーのマイク音声を拾うとアバターが自動で口元を動かして表情を変えたり、ユーザーが移動をするとアバターの足が自動で足踏みをしたりといったように、ユーザーが操作しきれない領域でどのようにアバターの動きにリアリティを与えるかも、VR世界をデザインする上では重要な要素になるのです。

04 機能の呼び出し

アバターは現実の肉体と正確には一致せず、VRサービスの機能を呼び出せるようになっている

アバターは自己表現であり、コミュニティを生み出す原動力

アバターはVR空間内において自己を表現する手段であるとともに、他人とのあいだにコミュニティを生み出す原動力にもなっています。

たとえばVRChatでは「パブリック」、つまりどのユーザーでも利用可能なアバターが数多く提供されており、ユーザーは思い思いの姿を選んだり、他のユーザーが使用しているパブリックなアバターをその場で自分自身のアバターに複製（クローン）して利用可能です。アバターの変更が簡単なため、多くのユーザーは気に入った自分の見た目だけでなく、アバターを複数登録してシチュエーションに合わせて使い分けるようになっています。

見た目を自由に選択できるため、あえて理想の体格や顔のアバターを選択する人もいれば、逆の性別のアバターや恐竜や宇宙人のような姿のアバターを個性の表現として使用するケースなど、多様な表現が生まれます。男性があえてアニメの美少女として描かれたアバターを利用することはユーザーの間では「バーチャル美少女受肉（バ美肉）」と呼ばれており、VRをまだ体験していない人にとっては奇妙に見えるかもしれないものの、多くのソーシャルVRサービスでは自己表現の一種として受け入れられています。

アバターがコミュニティを生む

アバターという形で自分と他のユーザーが識別できるようになると、すぐにコミュニティが生まれます。このとき重要なのがアバター同士の距離感の表現です。

アバター同士がVR内で接近し、他のユーザーの操作がリアルタイムに反映されることを通して、ユーザーは相手の存在を画面を通して感じることができます。VRサービスによってはアバター同士の距離が離れると他のユーザーの声が小さくなるといった表現も存在し、その場にユーザーが集まっている雰囲気が生み出されます。

VR内でのアバター同士の距離感は現実と同じとは限りません。現実では礼儀正しい距離で話す人々がVR空間ではハグし合う距離に近づいたりといったように、現実よりも相手を身近に感じることもあるほどです。この距離感の表現によってその人がそこに居るという実感が生まれ、アバターが集合していることで一体感が生まれます 05 。

アバターを通した個性の表現、リアルタイムで反映される自分と他人の動き、そして声などを通した距離感の表現。これらすべてが連携することで、VR内にそのユーザーが存在するという感覚が生まれ、他のユーザーと体験をともにしている楽しさが生まれます。コミュニティが、そこに誕生するのです。

05 多様なアバター

魔族BAR「Abyss」に集まったユーザーたち。ヒト型を主に、様々な姿のアバターが存在する。アバターのバリエーションが多いことがコミュニティを生み出す原動力になっている

VR内に「私が居る」という感覚

「VR空間内に自分がアバターとして存在している」という感覚は、実際に経験してみないとなかなか伝わりにくい、映画やゲームとも違う独特のものです。

たとえば、VRChatにログインして、VR世界を探索していたところ急に見慣れないアバターのユーザーが喋りかけてきたとします。最初は戸惑いますが、アバターの頭上に表示されているIDからそれがふだん付き合いのあるフレンドのユーザーであることがわかると、見慣れない姿であったとしても、それはその人の今日の姿だと納得して自然に会話がはじまります。アバターの姿が変わっても、その人がそこに居るというリアリティはそのままなのです。

自分が普段使っているアバターにも愛着のようなものが生まれます 06 。それが動物の姿でも、性別や年齢の違う姿でも、他のユーザーがあなたを識別して話しかけてくるようになると、その姿が「VR世界における自分」として受け入れられるようになってきます。

06 VR世界における自分

筆者の普段使っているアバター。性別や身長が違っても、やがて愛着が生まれてVR内の自己が確立する

想像力でアバターの限界を補完する

こうしたVR空間におけるリアリティを感じるのに、アバターの解像度が高かったり、多機能である必要はありません。アバターの制限を、ユーザーは想像力で補完することができるからです。

たとえばVRサービスの設計思想の違いによって、アバター同士にゲームで見られるような「当たり判定」（コリジョン）が存在するものもあれば、そうしたものが存在せず、表示のうえではアバターが重なり合ってしまうタイプのものが存在します。しかし後者の場合でも、アバターどうしがちょうど触れあう程度に手と手をあわせてハイタッチをしたりといったように、アバターの制限をユーザー同士は想像力で補って楽しむことができます。

これは子供が遊ぶ「ごっこ遊び」と似ています。実際には飲食をしていないのにVR空間内で紅茶を飲んでいる動作を真似たり、鳥の姿をしているアバターを着ているときには羽ばたいてみせたりといったように、ユーザーはアバターを通して他の人との交流を楽しむために演じるようになり、他のユーザーはその動作の意図を解釈して交流が深まっていきます。VRをメタバースたらしめているのは、こうしてアバターの限界を想像力で補いつつ交流するユーザー同士のコミュニケーションの熱量であったりするのです。

Section

メタバースを支える技術

VRChatやclusterといったサービスは、ユーザーが自分で作成したVR空間やアバターをアップロードできる自由度の高さがその人気を支えています。
VRChatを例に、ユーザーがVR空間やアバターを作成するときの流れと、ツールについて紹介します。

執筆：堀 正岳

Part. 4

VR空間の制作の流れ

VRワールドは、3Dオブジェクトのモデリングと、それらのオブジェクトに動作を割り付けるという二段階で制作されます。まず、風景や建物といったVR空間上の構造物や、その表面のテクスチャといった見た目をBlenderなどの3DCGモデリングアプリケーションで作成します。このとき、アセットと呼ばれる樹木や家具や風景の要素といったパーツを購入して利用することも可能です。

こうしてポリゴン（多角形）で作られた構造物を、次にUnityゲームエンジンに読み込ませ、VRChatの場合は提供されているSDK（ソフトウェア開発キット）に準拠して必要なオブジェクトに動作を割り当てます。たとえばVR空間内でドアノブに手をかけると扉が開くといった動作は、閉じたドアのドアノブのオブジェクトにユーザーのアバターが触れてトリガーを引くという条件が発生した場合に、そのオブ

01 VRワールドとアバターを制作する流れ

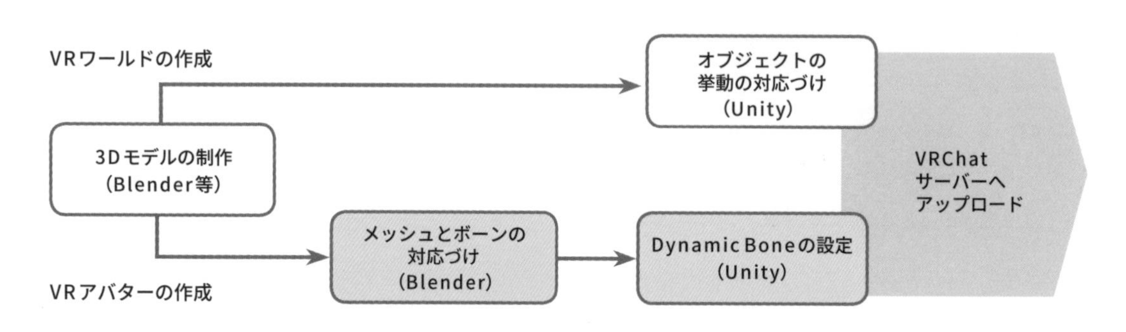

ジェクトを開いているドアに置き換えるといった具合に記述されます。

VRChatにおいてはこうした相互作用をUdonというグラフィカルなプログラミング言語で記述することも可能になっており、ユーザーが銃の引き金を引くと弾丸のオブジェクトを表示して飛ばすといった高度な動作も容易に記述できます。

こうして完成したデータを、ワールド名や入室可能な人数といったVRChatに固有な情報とともにサーバーにアップロードすれば完了です 01 。

アバターを自分で制作する

アバターも、VR空間と似た流れで制作することができます。まず、Blenderなどを使用してアバターの形状を三次元のメッシュとして作成します 02 。このとき、関節部分や表情を表現している部分が動いたときに不自然ではないように細かく設定するなどといったノウハウがあります。

次に、この3Dモデルとして制作されたデータをUnityに読み込ませ、動きを制御するための骨や関節に相当するボーン（骨格）を設定していきます。このステップはリギングと呼ばれていて、関節がどこまで曲がるのか、ある関節が動くと連携してどの部分が動くかといった、アバターの動作を自然に見せるための対応付けが行われます。このときUnityが提供しているヒト型のアバターを表現するためのヒューマノイド・リグと呼ばれる骨格に準拠していれば、たとえば歩行時にアバターの足が動くと言っ

02 アバターやVRワールドのモデリング画面

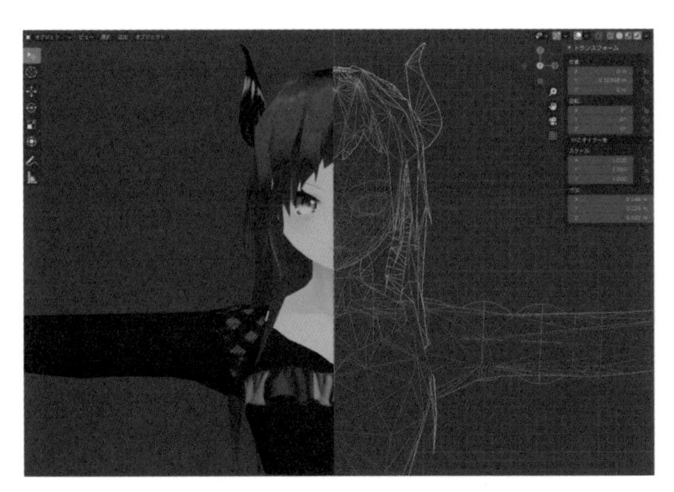

Blenderでアバターを編集しているところ

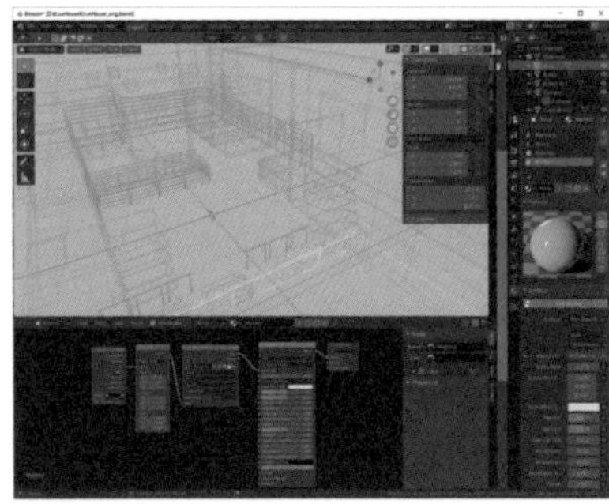

同じBlenderの画面。VRワールドを編集しているところ

た動作上の演出はVRChatにまかせることができる仕組みになっています。

最後に3Dモデルのメッシュとボーンの動きを対応させるスキニングと呼ばれるステップを経て、アバターは完成です。ここにも、たとえば右手が動いた場合には腕のメッシュだけではなく、右脇のメッシュもあわせて伸縮するといったように、アバターを自然に見せるためのノウハウが数多く存在します。

アバターやワールドの市場

VRワールドやアバターを制作する技術が一般に浸透したことを背景に、こうしたワールドデータやアバターの頒布・販売も爆発的に増えています。

アバターとして利用できる3Dモデルの販売大手であるピクシブのBOOTHでは2021年始時点で2万7,000点以上のダウンロード商品が存在しており、ユーザーは購入した3DモデルをVRChatなどで自由に使用することが可能になっています。

VRアバターを販売するためのVR上の即売会も盛んになっており、中でもVRChat上で2020年12月から2021年1月にかけて開催されたバーチャルマーケット5では、3Dモデルだけでなく現実のショッピングもできる世界最大級のVRイベントとして注目されたことは本書の各所で触れた通りです。

同様に、VRワールドに利用できるアセットの販売や、アバターやワールド制作を代行するビジネスも今後大きく伸びることが予想されています。

03 アバターや3Dモデルの販売

ピクシブのVRoid Studioはイラストレーターが絵を描くのと似たような感覚でアバターの3Dモデルを作成することができる新しいツール

アバターを作成するための新技術

アバターを作成するための技術も年々発達を遂げています。

たとえばFacebook社はユーザーの頭部を三次元的に撮影し、それを機械学習と組み合わせることによって実写のような高精細なアバターを作成する技術を開発中です。現時点では特別な撮影スタジオが必要なものの、将来的にはヘッドセットのみか、スマートフォンで撮影された映像だけで、写実的なアバターを作成できることが期待されています。

また、映画やゲーム内のCGで利用されることが多い、全身の映像を撮影してまるごと3Dモデルを作成するボリュメトリック・キャプチャの技術も、VRアバターの作成に応用されるようになってきました。

逆に実写ではなく、アニメのキャラクターに近い3Dモデルを簡単に作成するための支援サービスも存在します。たとえばピクシブのVRoid Studioはイラストレーターがキャラクターを描くのに近い形で3Dメッシュを作成することに特化しており、描く才能と3Dモデルを作成する才能とのあいだに存在したギャップを埋めることが期待されています 03 。

現時点では、作成したアバターをVRサービスに持ち込むにはそれぞれのSDKに準拠させる必要がありますが、これを汎用のフォーマットに統一する動きもあります。株式会社ドワンゴが2018年に発表したVRMと呼ばれるファイルフォーマットは、ヒト型のアバターが持っている形状、テクスチャ、動き、表情といった情報をすべて、ひとつのファイルに格納することが可能になっています。

VRMに対応するVRサービスが今後増えるにしたがって、ユーザーはたとえばA社のVRサービスで使用しているアバターの姿のままB社のサービスを訪問することや、いつものアバターの姿で生配信をしたり、ゲームをプレイするといったことが可能になります。VRMによって、ユーザーはますますアバターを自分の自己表現として様々な場所で活用可能になり、メタバースの影響がVRプラットフォームの垣根も、ゲームや動画配信といったジャンルも超えて広がっていくことが予想されます。

VRワールドを横断できる未来

現状、作成されたVRワールドはそれぞれのVRプラットフォームに依存していますので、たとえばVRChatのユーザーがclusterのワールドを訪問することはできません。

しかしアバターにとってVRMがデータの相互可搬性を実現したように、今後VRワールドを統一的に扱うフォーマットが誕生する可能性もあります。それが実現した場合、ユーザーはプラットフォームの境界を気にすることなく、世界中のサーバーに無数に存在するVRワールドをシームレスに訪問できるようになるでしょう。

VRワールドとアバターを支えている技術はまだまだ発展の途上にあります。こうした技術の発展が、メタバースをさらに進化させ拡大させていくのです。

Section

VRにおける法整備と倫理

VRに人が集まり、メタバース的な側面が強まってくると、
必然的に争いごとやトラブルも増えてきます。
ここでは、今後予想される法的問題や、倫理的な課題について見ていきます。

執筆：堀 正岳

VRをめぐる著作権の問題

現在でもすでに、VRChatにおいて争いごとは頻繁に起こっていますが、多くの場合は相手をブロックする機能や、ユーザー同士の紳士協定やマナーによって快適な空間を維持する努力が続けられています。

しかしより大勢の人々がVRに参入し、社会性が高まってくるにつれて、トラブルを調停するためのルール作りや、法律の適用が必要になるケースが必ず発生するはずです。

そこで本節ではVRがメタバースに進化する中で発生することが予想される法的問題や、倫理的な課題について見ていきたいと思います 01 。

VRにおける法的なトラブルとして最初に考えることができるのが著作権の侵害です。

VRChat内を散歩していると、漫画やアニメのキャ

01 VR内で起こりうる法的問題

- 著作権で守られた建物や景観のVRワールド化
- 他人の知財を侵害するアバターの制作
- 公衆送信権を侵害する音楽の使用

- VR内での侮辱や脅迫
- アバターに対する暴力やセクシャルハラスメント
- VR内での露出や付け回しなどの迷惑行為など

- ユーザーの五感に対する迷惑行為
- VRアバターの機能を悪用したプライバシー侵害
- アバターのなりすましなど

ラクターをそのまま利用しているアバターに出会ったり、著作権の存在する建物 02 、あるいは映画の世界観をそのままコピーして再現しているワールドに遭遇することがしばしばあります。たとえば漫画「ドラゴンボール」の主人公の姿をしたアバターを使っているユーザーや、無許可にスター・ウォーズをテーマにしたワールドをアップロードしているといったようにです。こうしたケースは通常の著作権侵害と同様の扱いを受けますので、権利者からDMCA（デジタルミレニアム著作権法）に基づいた削除依頼があった場合、プラットフォーム側は既存の法律に応じて対処をすることになります。

しかしもっとデリケートな、判断がつきにくいケースもあります。

たとえば夜のエッフェル塔の写真が著作権侵害に問われることはご存知でしょうか。もともとのエッフェル塔の著作権を持っていたギュスターヴ・エッフェル氏は1923年に亡くなったため、それから70年経った1993年にエッフェル塔のデザインはパブリックドメインとなり、自由に利用することが可能になりました。ところが夜間に照らされている電飾は1985年に導入されたものであるため、現在もフランスの著作権法においては著作物として守られているのです。では、VRワールドの中で夜の電飾に照らされたエッフェル塔を制作した場合、それは写真的な複製であると認められて著作権の侵害とされるのでしょうか？ それとも絵画表現に近いものなので侵害にあたらないと判断されるのでしょうか？　簡単に答えは出てきません。

ワールドの作成が倫理上の問題になるケースも考

02 パブリックドメインの建物をVRChatに建造

現実の建築物をVRで再現する場合には著作権で守られているか、どれだけ写実的に描写しているかなどに注意が必要だ（ワールド名：White House、作者：Gormundr氏）

えられます。イギリスの探検家がエアーズロックと名付けたオーストラリアの巨岩ウルルは、先住民の聖地であると認められ現在は登頂することができません。それではVRの中でウルルを再現して登頂した場合に、先住民からVRであってもウルルの神聖性を尊重して登頂はやめてほしいと要望があった場合、どう対応するのが倫理的に正しいのでしょうか？

これは仮定の例にすぎませんが、VRの中に存在するものがまるで現実みたいだと驚嘆する一方で、現実そのものではないので権利を守ったりする必要はないと主張するのは矛盾していないかと批判される可能性もあり得るのです。

著作権の問題は同時に所有権の問題も生み出します。VRChatにはアバターを他人にコピーさせない設定もありますが、一度アバターのデータが流出してしまった場合にその拡散を止めるのは困難です。119ページで触れた通りアバターはその人の自己表現ですので、こうした流出は著作権の侵害だけでなく、その人のオンライン上の人格に対する侵害だと考えることもできます。

世界そのものが、その人を表現している見た目そのものがコピー可能であるということは、こうした新たな問題を生む可能性をはらんでいるのです。

● アバターに対する暴行は傷害罪か？

VR内で人々が交流していると侮辱や名誉毀損といった、人格権の侵害が問題になるケースもあります。単純に喧嘩をした、侮辱的な言動を受けた、といった場合には相手のユーザーを既存の法律で訴えることもあるかもしれません。

しかしここでも難しいケースを考えることができ

03 アバターの暴力は犯罪になる？

メタバースは現実の延長にある。現実の争いごとやトラブルはすべてVRの中でも形を変えて起こりうると言える

ます。たとえばアバターの姿で他の人のアバターに危害を加えるような動作をした場合に、それを傷害罪に問うことができるかといった場合です 03 。

人気のオンラインゲーム「Dead by Daylight」では5人のプレイヤーが殺人鬼（キラー）とそれに追われる4人のサバイバーに分かれてステージからの脱出を競いますが、ゲーム内で捕らえられて無抵抗なサバイバーに対してキラーがさらに暴行を加える「ケバブ」と呼ばれるプレイがあります。このゲームの目的上、ケバブ行為を行うことには意味がないものの、サバイバー側のプレイヤーはゲームキャラクターを通してキラー側の挑発や侮辱の意志が伝わり、精神的苦痛を感じることもまた事実です。そうした理由があって、Dead by Daylightにおいてケバブ行為はマナー違反だと広く認識されています。

VRでも同様のケースを考えられます。VRChatではアバターとアバターが触れてもすり抜けるだけです。しかしこれをいいことに、相手のアバターに自分のアバターを執拗に重ねてくるハラスメントを行う人もまれにいます。そこでVRChatでは相手のアバターが一定距離より近づいた場合に、ユーザーの視点から見てそれを非表示にするという設定もあります。また、VRChat内では迷惑と受け取られる行為をしているユーザーがその場にいたとしても、声が聞こえず、存在も見えないようにブロックすることが可能です 04 。

このように、技術的にハラスメント行為や迷惑行為を抑制することも可能ですが、それ以外の直接的なマナー違反な行為をどのように取り締まるのか、必要性が生じた場合にどの法律を根拠にして訴えるべきかについてはまだ判例が多くありません。

04 VRChatのセーフティ設定

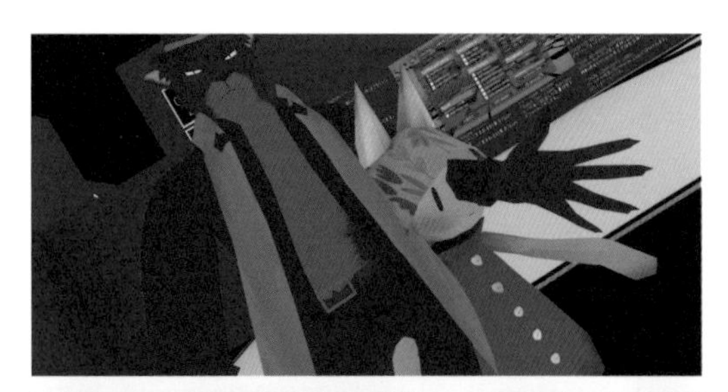

上）VRChatではお互いのアバターが重なり合う可能性もあるが、これをストレスやハラスメントと受け取る人も居る／下）VRChatにおけるセーフティ設定画面。危険な相手の姿や声が見えなくできるように細かい設定が可能

VRならではのバーチャル犯罪

VRの中ならではのバーチャル犯罪と言える行為も発生しています。中には実際に罰するとなると既存の法律では判断が難しいケースもあります。

たとえば女性型のVRアバターの胸に掴みかかるセクシャルハラスメント行為がありますが、被害を受けたユーザーが男性であった場合はどのように考えるべきかは判断が分かれます。

他のユーザーの前で突然裸体のアバターに着替えたり、視界にむかって強いストロボライトを照射したり、過大な音を聞かせるといったような、ユーザーの五感に対する迷惑行為もあきらかに犯罪行為ですが、どのように法律を適用すべきかには議論が存在します。また、透明なアバターや識別不能なほど小さなアバターを利用したプライバシー侵害といったように、肉体の大きさや物理的特性も自由であるために生まれる犯罪もあるのです。

ここまでVRの中に生じうる犯罪や問題だけを指摘してきましたが、法律の適用が必要になる他のケースも存在します。たとえば性別や居住地を超えたVR内での人間関係に法的根拠を持たせたいといったニーズや、バーチャルな婚姻関係や相続といったニーズ、あるいはVR内での商取引や契約を成立させるための法的根拠も考える必要があります。

VRがメタバースに近づき、実際の社会がその中に反映されるにしたがって、VRに特化した法整備の必要性もまた高まるのです。

VRが切り開く新しい価値観と倫理

現実の我々は、どんな性別であるか、どんな年齢の見た目であるかを選べません。それが社会的存在である私たち自身の行動に制約を与えます。しかしVRではアバターを自由に選択できるので、こうした制約を外した行動が可能です。ここに、VRが新しい価値観や倫理を生み出す可能性があります。

たとえば高齢者が若い姿のアバターを使用して過去を取り戻して行動するといった形の楽しみ方もありますし、あえて異なる立場や属性のアバターを身につけて異なるバックグラウンドの人を理解するために使用するという使い方もあります。

現実世界では中年と若者が対等の立場で会話をしようとしても見た目の年齢差のせいで否応なく上下関係が生まれることがあります。しかしVRアバター同士なら、相手の年齢がわからないために社会的な立場を離れて交流することが可能になります。特定の年齢として扱われることを足かせに感じている人にとって、これは大いなる開放になりえます。

障害を負っていて現実には歩けない人がVR内では自由に行動することを楽しむことだってありえます。現実の生活でルッキズム（身体的な魅力に対する差別的扱い）に悩まされている人や性同一性に苦しんでい

05 様々な人種のHorizonアバター

Facebook Horizonは様々な人種の見た目に対応できるように開発が進められている

Part.4

る人が、アバターを通して人とつながることに開放感を覚えるケースもあるでしょう。

これらはすべて、私たちが与えられた性別や社会的な役割に属しているだけでは気づくことがない、新しい価値観と言えます。アバターで行動することやメタバース内で生きることは、こうした新しい価値観を生み出しつつあるのです。

メタバースが持つ倫理的な課題

その一方で、メタバースには様々な倫理的な問題が存在することにも注意が必要です。

たとえば開発中のFacebook Horizonのアバターには選択できる髪型や顔の形状に多くの制限が存在しますが、そうした制限が修正されない場合、一部の民族や属性の人々をVR世界から排除してしまう可能性があります 05 。

男性が女性のアバターを使用することに反対する意見も存在します。アバターとして女性の見た目だけを売り買いし、どのアバターの見た目が良い・悪いといった視点で価値判断をすること自体が、かえって女性へのルッキズムを強める効果を持っていないかという視点は、VR内だけではなく社会全体への影響も含めて考える必要のある重要な指摘です。

アバターの持っている身体的機能を倫理的に制限するべきかという議論も盛んに行われています。たとえばアバターを使った他のアバターに対する暴力に対して法的に責任が問えるのか、どのように抑制していくべきなのかといった話題。あるいは欧米でタブー視される中指のジェスチャーをアバターの機能として制限すべきなのか、それともアバターが持っている身体性の自由を尊重してそうしたジェスチャーは許容しつつ、ユーザーのモラルの問題として対応すべきなのかといった話題です。

このような議論や批判は、メタバースの持つ可能性が大きいからこそ生まれるとも言えます。こうした倫理上の課題にとりくむことは、メタバースをさらに豊かにするために不可欠と言っていいのです。

メタバースでどのようにして合意を形成するか

これまでに見た法的な問題や倫理上の課題は、今後十分に議論され、結論を出すべきものばかりです。しかしどのようにして合意を形成するかについても、課題が存在します。

VRの利点のひとつはその越境性で、同じVRワールドで隣に居る人が、別の国に在住する可能性があります。その二人の紛争を調停する場合に、どちらの国の法律が適用されるのでしょうか？　あるいはゲームのケバブ行為の例で見たように、VR内におけるマナーや守るべきルールを作るときに、誰の合意を、どの国の法律や権利に準拠して策定すればいいのかは、簡単に解決しない問題です。

また、やがてメタバースの中で経済活動が活発になるにしたがって、金融活動や商取引といった契約の必要性も発生するでしょう。

こうした課題をどのような形で調整し、解決していくのかは、法律と倫理のフロンティアと言っていいのです。

Section

7 メタバースと経済

**かわいいアバターを売り買いするだけがメタバースの経済ではありません。
ここではもっと大きなお金が動く、
メタバースと関連した本格的なビジネスの可能性を探ります。**

執筆：大屋友紀夫・岩佐琢磨

メタバースを使って現実世界のビジネスを加速

人類が群れで生活するようになって社会が生まれて、経済活動が生まれました。メタバースという新しい社会は生まれたばかりですが、すでに小さな経済が動きはじめています。メタバースとビジネスの接点のひとつは、たくさんの人がメタバースに訪れることによって、実世界側の経済活動を加速させるというものです。

前者のひとつは広告宣伝です。映画におけるプロダクトプレースメント※1のような事例はたくさん出てくることが想定されます。家電メーカーがVRChatの自宅ワールドを飾るアイテムとして、家電の3Dモデルを配布することは想像に難くありません。実際、パナソニックグループのShiftallではメタバース用途で家電の3Dデータ販売を開始しています 01 。

メタバースにたくさんの人を呼ぶイベントを実施して、実世界企業がスポンサードして、メタバースイベント内の一等地を広告スペースとして購入することは、すでにいくつもの事例があります。

広告、というとネガティブに捉えられがちですが、メタバースであれば広告そのものを楽しいコンテンツにすることもできます。高級スポーツカーを駆ってリゾート地の島をぐるりと一周するのは楽しい時間です。そこにレクサスの最新モデルが置いてあれば、広告という認識をせずレクサスを駆り、眺めのいい場所で車を止めて記念撮影をし、Twitterにかっこよく撮れた1枚をアップロードすることでしょう。広告だという認識はほとんどなく、楽しいユーザー体験として記憶に残ることは想像に難くありません。剣と魔法の世界を題材にしたロールプレイングゲームにトヨタ自動車の広告を持ってくることはできませんが、こういった設計が可能なところも、メタバースが持つ懐の広さです。

※1 プロダクトプレースメント：映画やドラマの劇中に実在の企業名や商品名を登場させ、現実世界での購入促進や認知度向上をねらう手法のこと

メタバース内での体験にお金を頂く

Part. 3ではデジタル空間におけるライブエンターテインメントについて触れましたが、ここではすでに現実空間に実在しない歌手（バーチャルシンガー）のライブ体験が有料で提供されはじめています。音楽ライブのように、現実空間で提供されていたサービスをバーチャルに持っていく、という考え方が通用するコンテンツもまだまだあるでしょうが、これからはバーチャル空間でしか体験できないことを考え、有料で提供していくモデルこそが本命となるでしょう。

ゾンビ集団に占拠されたブルジュ・ハリファに閉じ込められた10人の仲間たち。仲間と協力してこの悪夢のビルから脱出しよう、という壮大な脱出ゲームは現実世界ではまず予算的に成立しないでしょうが、メタバースなら可能です。ここまで大規模な体験型サービスであれば、お金を払って参加しようという人は多いはずです。

もちろんあんな巨大なビルの全フロアを3D化するには膨大なコストがかかると思うかもしれませんが、現代のビル設計にはCADを使って作られており、設計時のデジタルデータを用いれば少ない労力でメタバース内にブルジュ・ハリファを再構築できます。ビル内部で使われる家具や家電についても同様です。

01 家電の3Dデータ販売

LUMIX S5のデータを買って、自らのアバターに持たせた様子。メタバース内で写真を撮るときに、手の中からぱっと出現する

すべてがデータ化され、組み合わせて使える時代へ

あるゲーム体験において、非常にリアルな動きで迫ってくるゾンビが登場するとします。しかしゾンビらしい動き、と言われても特撮映画のプロでもない限り、ぱっと作ることは困難です。この動きのデータすら、誰かが作り売っていく時代となるでしょう。すでにこういった用途に向けて「人の動きのデータ」を売りはじめているベンチャー企業も存在し 02 、すぐにゾンビや怪獣の動きデータを販売するビジネスが生まれても不思議はありません。むしろ簡単にキャプチャーできる人の動きよりも、価値が出そうです。

VRと現実のショッピングが融合

ここまでは、現実のビジネスをメタバースで加速させたり、メタバース内で行うビジネスについて述べましたが、近い将来、これらがシームレスに融合する可能性が高いです。VR空間で特定のサービスを有料で受けるが、気に入ったらさらに追加の関連商材を現実空間で受けるスタイルです。もちろん、この逆も成立するのですが、当面は現実空間のほうが高額となることが多いでしょうから、バーチャルからリアルへの流れからはじまっていくと予測されます。

02 人の動きを売っている例

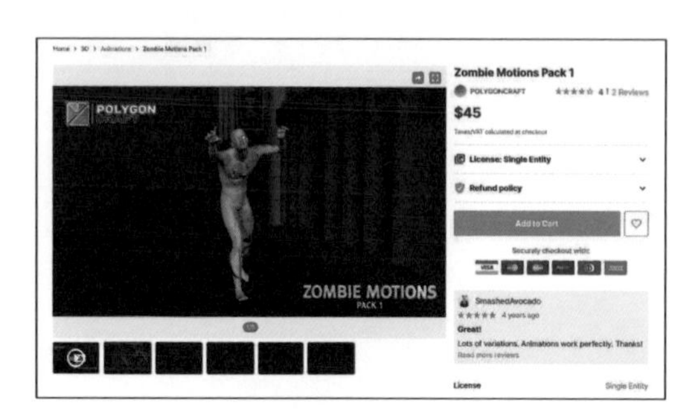

モーションデータの取引はすでに行われつつある。写真は、Unity AssetStoreにて販売中のゾンビ風モーションのデータ、約4,700円

家を買う前に有料で設計図を作る

住宅を購入したことがある方の中には、少しお金を払ってでもいいので、3ヶ月ぐらいかけてじっくりゆっくり設計し、できることならそこで何十時間という時間を過ごしてみて不満に感じたところを修正してみることができたら、と思った人が居るでしょう。筆者のような凝り性の人間は、30万円払ってでもいいので住宅設計・建築のプロと議論しながらバーチャルルームを設計し使い勝手を検証したうえで家を建てたいなと思ってしまうのです。バーチャルの部屋に30万円！御冗談をと思われるかもしれませんが、住宅価格の相場を考えれば、100分の1程度のコストに過ぎません 03 。

もし、専門家のデジタル図面を即座にVRChatのワールドへ変換できるなら、これはとんでもなく可能性のあるビジネスになりえます。どのみち家を建てるときには図面が必要ですから、本物を建てるときにバーチャルデータをベースにすることで、一部の設計作業の工数も削減できるでしょう。現実世界では構造計算申請など法の制限がたくさんあるのでVRChatのデータだけで家が建つわけではありませんが、いつかはこのデータと超大型3Dプリンタで家ができてしまう未来が来るのかもしれません。

そしてメタバースに残る家

さて、無事家が建ったとして、VRChatの家はどうなるのでしょう。法の制限も場所の制限もないわけですから、実際の家には来れないメタバース内の友人たちと遊ぶ場所として残し続けることもできるわけです。木造住宅の法定耐用年数は22年と言われていますが、UltimaOnlineのように24年経ったあとも、メタバースの中で元気に友人たちを迎えているかもしれません。

03 本物の家造りにメタバースを活用

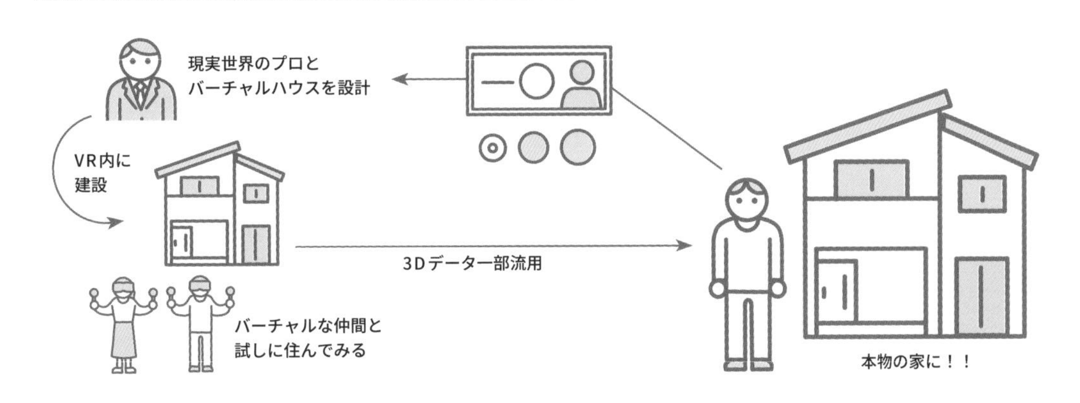

MMORPGの経済活動に学ぶ

メタバース・ビジネスの将来を占うにあたって、MMORPGでの経済活動の歴史から学ぶことは多くあります。MMORPGでは鍛冶屋をやっているプレイヤーがいて、彼らにお金をはらって武器を買うのです。武器を作るには鉄や石が必要なので、鍛冶屋は武器を売って得たお金で材料を別のプレイヤーから買い、現実世界さながらの経済が回っていました。もちろんゲームなので、低い確率ですがレア武器を入手して高価格で転売するなんてこともできました。

ここまではすべて運営会社の手の内です。レア武器の出現も計算のうちです。しかし、この経済活動をゲーム外で行う者が現れました。RMTという行為で[※1]、鍛冶屋からゲーム内通貨1万ゴールドで買ったレア武器の所有権を、10万円で売り出すのです。ついには時間まで換金するプレイヤーがあらわれ、ネットオークションには「レベル99のキャラクターを売ります、20万円！」といった出品が相次ぐこととなったのです。

ゲームバランスを崩す行為となるだけでなく、運営会社の見えないところでお金とものの やり取りが行われることで不正やトラブルも起こりやすく、世界各国で社会問題となり、韓国をはじめ一部の国では法律で規制することになりました。

※1 現実世界のお金で取引すること。(Real Money Trade)の略

04 RMTと通常のゲーム内取引

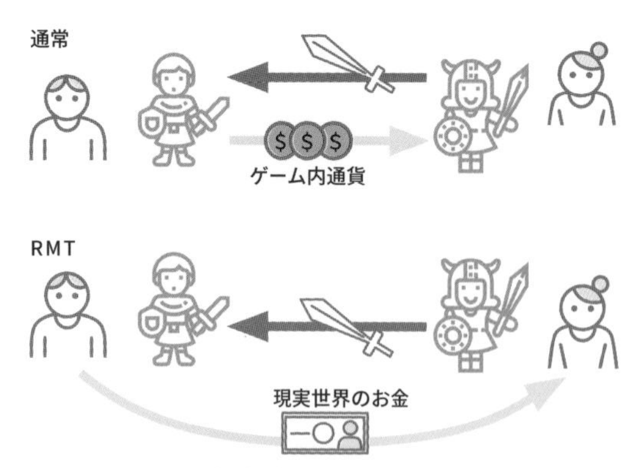

キャラクターアイコン by Eucalyp (https://www.flaticon.com/)

05 Second Lifeで売り出されている建物

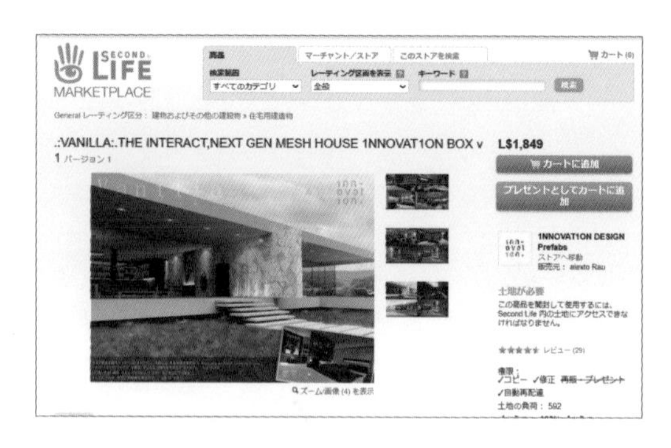

Second Lifeで売り出されている土地を買うと、建物を建てることができる。住居のデータも当然誰かが作って、売っているものだ。10L$＝約3円なので、約600円

作り出すのに手間がかかるものは、たとえ武器の絵をした1枚の画像であっても、キャラクターのデータというバーチャルなものであっても、大きな対価を払う人が居るということは、大きな痛手とともにMMORPGが世に示した事実だったのです 04 。

リンデンドルとSecond Life

MMORPGのブームのあとに生まれたSecond Lifeでは、ゲーム内通貨「リンデンドル」を米ドルに一定レートで交換できる仕組みを導入し、RMTの機能をすべてSecond Lifeサービス内に取り込んでしまいました。Second Life内でユーザーが生み出したものは、現金と同じく価値があるものであるというゲーム設計にしたのです。それだけでなく、最初のうちに参入して買い占めたものを、希少性が出たころに高く売るという現実世界でも不動産業などで行われることに対しても運営側が許容するようになりました 05 。開始当初のリンデンドルバブルは多少あったものの、リンデンドルでの取引がいまも行われていることを考えると、ゲーム内経済活動のひとつの成功事例であったと言えるでしょう。

暗号通貨とメタバース

18ページの冒頭で「バーチャル」の訳語について述べましたが、ビットコインに代表される新しい通貨は、英語ではVirtual Currencyではなく、Crypto currency（暗号通貨）と呼びます。前述のリンデンドルは非中央集権型を特徴とする暗号通貨には分類されませんが、米ドルと一定レートで交換可能とした、サービス独自通貨のはしりです。

現在のメタバースはVRの外側での経済活動と組み

合わさることを想定して作られているので、アバターの洋服をメタバース外のBOOTHのようなECサイトで取引しても問題が起こらないわけです。

反面、MMORPGにおける「ゴールド」のような、VR内での独自通貨を使うことが難しくなりました。かといって、リンデンドルのように現金に交換可能なゲーム内通貨の実装と運用は難易度とリスクが非常に大きく、簡単にはじめることはできません。

そこに彗星のように現れたのが暗号通貨というわけです。暗号通貨なら取引所が完備され、瞬時にデジタルで支払え、他のメタバースとの相互乗り入れも可能。不正利用対策も通貨側に実装されており、万が一メタバースのサービスが停止されても、通貨価値が暴落すること心配もありません。

新興メタバースのNeosVRとNCR

全く別のアプローチとして、新興メタバースのNeosVRではNeosCredit (NCR) と呼ばれる独自の暗号通貨を用いた資金調達を行ってコミュニティを育てようとしています 06 。NeosVRというメタバースを応援したいというユーザーは、お金を払って応援しながら特定のリターンを得るサービスPatreon(パトロン制度) で課金します。たとえばここで5ドルを毎月課金すると、30NCRがもらえるなどです。もしもNeosVRが成長すると、30NCRが何千万円もの価値になるかもよ、だからいま僕たちのメタバースも応援するために月額5ドルを投資してくれ、というわけです。今後、NeosVR内でのNCRを使った有料イベントの実施や、NCRを報奨金としたコンテストなどが開催されていくことになるのでしょう。

06 NeosCredit

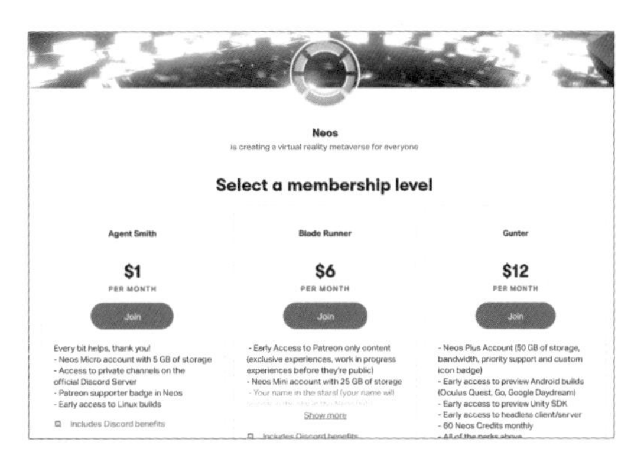

Patreonで NeosVRのパトロンになり、NCRを毎月受け取るコースの契約画面。月額1ドルから参加でき、現在は毎月約136万円の支援が集まっていることがわかる

Facebook社とDiem(ディエム)

最後にここに触れないわけにはいかないでしょう、Oculus社を買収した巨人、Facebook社です。Facebook社はDiemという暗号通貨を市場投入することを宣言しています。

SteamVRの調査によると、PC向けVRデバイスの過半数をFacebook(Oculus)の端末が占めており、スタンドアロン型は事実上Facebook社しか市場に製品を投入していない現状、メタバースという文脈でもFacebook社がどう動くかで業界が大きく変わることは間違いないでしょう。

Facebook社はDiemと並んで独自のメタバース「Horizon」の開発を発表しており、すでにβテストが開始されています。Horizonが登場し、そこでメタバースらしい経済活動が行われるとき、おそらくDiemが通貨として使われることになるのでしょう。

Section

VRとメタバースの未来を展望する

ここまで、バーチャルリアリティとは何かにはじまり、ビジネスにおけるVRとその広がり、そしてVRが必然的に向かう未来であるメタバースについて紹介してきました。成長著しいVRとメタバースの分野の今後を知る上で知っておきたい技術や動向をまとめます。

執筆：堀 正岳

Part.4

新しいハードウェアに注目しよう

コンシューマー向けVRヘッドセットはFacebook社のOculus Questシリーズに一日の長がありますが、一般の消費者にとってはマイクロソフト社が提供するARデバイスHoloLensも魅力的です。VRとAR、この重なり合いながらも方向性の違う２つの技術がどのようにマスに受け入れられるかについて、結論を出すのはまだ早すぎます。

マーケットが形成されつつあるタイミングで参入することが多いアップルは、2022年に向けてVR/ARヘッドセットを開発中とたびたび報じられています。もし、iPhoneがiTunes Music Storeと対応していたように、アップルのVR/ARヘッドセットが「なにか」とセットで登場した場合、VRやARのコンシューマー受容を大きく変える可能性があるでしょう。

次のブレークスルーに備える

ヘッドセット以外のイノベーションにも目を光らせる必要があります。Part. 2では、現在研究や開発が進められているハプティクスデバイスや、ロコモーションインターフェース、あるいはプロジェクションVRといった新技術について紹介しました。2012年に発表されたOculus Riftが段階的に高解像度化、高機能化を果たしたのと同様に、これらの技術も数年のうちに安価のコンシューマー向けの製品が登場する可能性が高いと言えます。

たとえばすべてのVRヘッドセットのコントローラーに振動や温度をユーザーに伝える高機能な触覚再現デバイスが採用された場合、その機能を利用したどのようなビジネスが可能なのか、VRChatのようなソーシャルVRでどのようにその機能が利用されるのかは予想がつきません。直近でブレークスルーが期待されているのは、安価で高機能なフルボディトラッキングセンサーの領域です。HTC Vive Trackerのような製品もありますが、現在はまだ高価で利用者は限られています。センサーの高度化と効率化が進み、フルボディトラッキングセンサーに価格破壊が起こったとき、私たちのVR世界における体験は大きく様変わりする可能性もあるのです。

このように、新しいテクノロジーが登場するたびに、それがVR内における私たちの経験とどのように結びつき、どのように応用できるのかを意識しつつ、これらのニュースに注視する必要があるのです。

ハードウェアの進化に対応して、アプリケーションとしてのVRも今後様々に発展することが期待されます。Part. 3で紹介したVRのビジネス用途の多くは、たとえばユーザーが触覚再現デバイスに対応している場合には大きく様変わりすることが期待されます。商品を手にとってみたり、手触りを確認したりといったことが、容易になる可能性もあります。問題は、どのハードウェアの進化がマーケットに受け入れられ、その結果としてどのようなVR上の演出が今後主要になっていくのかですが、これは業界の動向をきめ細かく分析し続けることでしか予想できません。

一方、VR内のユーザー体験がニーズに応じて今後大きく改善していくことは疑いありません。直近ではVR内における購買機能や決済機能などといったものをどのように提供するかが課題ですが、今後数年以内にこの分野では大きな進歩が期待できます。

次々に生まれるソーシャルVR

VRにより多くの人が集まるにつれ、人と人との交流を可能にするメタバース的な側面が強まることは容易に想像ができます。ソーシャルVRの分野では本書でも度々扱ったVRChatがすでに人気ですが、独自機能をうたった類似のサービスも誕生しています。

たとえば2014年にチェコのSolirax社によって開発されたNeosVRは（次ページ 01）、VR空間内で直接風景や建造物を編集することや、VRから出ることなくワールドそのものをプログラミング言語で操作するといった、高い自由度を持っていることで知られています。VRChatでは自分が身を置いているVRワールドは所与のものとして変更できませんが、このように自分の環境を改変できることがどのようにメタバース的な利用を変えていくのかは注目に値します。

また、NeosVRや2021年2月にリリースされたChilloutVRでは、ユーザーのアバターが空間を飛び、アバターやオブジェクト同士の接触の表現にも対応しています。ゲームの世界ではこうした操作感はもはや当然ですが、他人のアバターに触れられることが人間関係に及ぼす影響や、現実の世界では不可能な上下方向の行動の自由がどのようなVRワールドを生み出すのかは、我々の想像力次第です。

また、本書が執筆されている段階（2021年2月現在）ではまだ詳細があきらかになっていないFacebook Horizonの動向も気になります。たとえ機能や自由度の面で他のサービスに遅れていたとしても、世界最大のSNSが作るVRプラットホームは世界中の人々をつなぐ巨大なメタバースを生み出す可能性があるからです。

01 様々なソーシャルVRが登場している

VR内で構造物を作成したり、プログラミングさえ可能なNeosVR

メタバースビジネスがはじまる

既存のビジネスがVRの利用や応用を進めていることはPart.3でも触れましたが、メタバースを意識したビジネス展開もはじまりつつあります。

アバターのデータの可搬性を実現するVRMと呼ばれるフォーマットについては125ページで触れましたが、こうした技術を利用してバーチャル・ユーチューバー（VTuber）が動画配信プラットホームやVR空間の中だけでなく、ゲーム内やテレビ番組といった舞台にも横方向につながっていくビジネスがすでにはじまっています。

こうした状況を見据えて、たとえばスマートフォ

02 新しいメタバースサービス

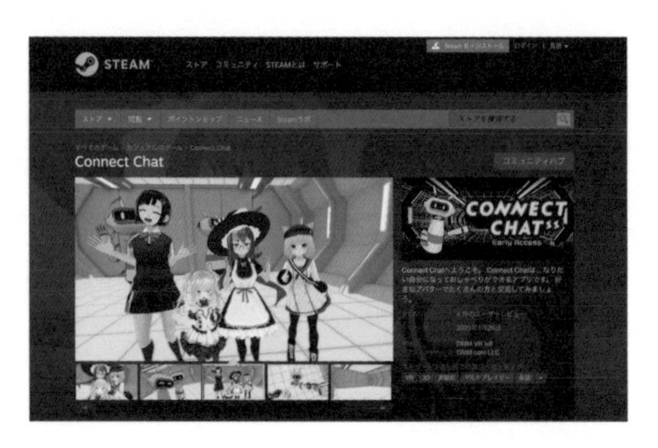

自分のアバターで会話を楽しめるConnectChat

ンゲームの大手、DMMが運営するDMM VR Labsからは「Connect Chat」02 が2021年1月26日にアーリーアダプター向けにリリースされており、ユーザーが自分のアバターをVRM形式でアップロードして会話を楽しむサービスの実験が行われています。大手VTuber事務所であるホロライブも、現時点で詳細は不明なものの、メタバース領域事業への参入に関心を示していることが報じられており、所属タレントがバーチャルライブやオンラインゲームへと横展開する可能性が話題になっています。

メタバースは、次のビジネストレンドと言っても過言ではないでしょう。

現実とVRをまたいだ未来がやってくる

VRとメタバースの未来について語るとき「一日中VRヘッドセットを被って仕事や生活をするというの？」「VRが現実に置き換わってしまったらそれはもう現実と変わらないのではないか」といった批判を受けることがあります。

しかし実は似たような批判が、インターネット黎明期にもありました。「コンピュータの画面だけで買い物をするわけがない」「ブラウザの中で友情は育まれない」といった批判は、ECサイトで買い物を楽しみ、SNSで知らない人とつながる現在の私たちには可笑しささえ感じられます。

インターネットの登場が現実世界のビジネスや友情を拡張したように、VRとメタバースもまた、新しいビジネスと人間関係を生み出し、補完し合いながら成長していくはずです。VRは現実と置き換わるものではなく、現実とVRをまたいだ、人間が行動可能な領域が大きく拡大したととらえるほうが正確なのです。

だからこそ、VRはときとして人類にとって経験可能な現実を想像力の及ぶ限りまで広げることを可能にする「最後のプラットホーム（the last platform）」などと呼ばれるのです。読者のみなさんにも、この拡大しつつある世界をぜひ経験していただきたいと思います。

VRChatでは、友人が居るVRワールドに自分自身を転送するときに「Join（合流する）」というボタンを押します。このとき、いつもほんの少しの不安と期待感が心にわいてきます。このボタンを押した先にあるのはどんなワールドなのだろうか？ どんな人に会えるのか？ どんな未来が待っているのか？ それは、ボタンを押すまでは、わかりません。

本書を手にとったみなさんにとっても、ここで紹介されている内容を奇異に感じたり不安に思ったかもしれません。しかし実際にVRを体験して、その中で他のユーザーと交流することを通して、みなさんがそこに居場所を見つけたり、ビジネスのチャンスを発見することに期待しています。

みなさんがVRメタバースという新たなフロンティアに「Join」するのを、楽しみにしています。

「司会」という仕事の醍醐味

執筆：吉田尚記（ニッポン放送アナウンサー）

Part.1のコラム（→42ページ）で、VRが普及してなくなるもの、残るもののお話をしました。我田引水になりますが、私がなぜVR世界でバーチャルMC（司会者）をはじめたかといえば、「司会」という仕事は、おそらくVRの世界でも需要があると考えたからです。

司会という仕事は、「注目」と「時間軸」を司るのが役割だと思っています。

生で野球の試合を見たことはありますか？私は子供の頃、初めて野球場で試合を観戦したとき、実況解説のない試合観戦に衝撃を受けました。テレビやラジオで触れる野球とは全く違い、自分の目の前で起きていることは、何十メートルも先で小さなボールがただ行き来しているだけだったからです。

実況があるから、そのとき注視すべきポイントが整理され、観る側にも起きた物事の意味が伝わる。白いボールが高く上がるただの物理現象が、「ランナー3塁、1点差のこの状況でライトの前に浅いフライが上がった！」と、実況アナウンスが加わることで、数秒後には同点に追いつくかもという臨場感を多くの人が共有するわけです。これが、司会による「注目」のコントロールです。

イベントであれば、何かトラブルで進行が滞った場合、別の注目ポイントを提示して時間をつなぐ、もしくはあえてトラブル自体に目を向けさせることが、司会のやるべきことです。舞台上で会話が進行しているときに、別の場所で「ガシャン！」という大きな音が鳴ったら、注目はそちらに移ってしまいます。それを、うまく会話に織り込んでもいいし、「ちょっと待って、スタッフさん、何があったか教えて！」と進行をあえて止めることもできます。それが「司会」です。

出演者とリスナー、それぞれの状況によって自然に注目してしまうことに差があることを織り込み、両者が共通で乗ってこられるタイムラインを作る。この司会という仕事の本質は、現実世界でもVR世界でも変わらないなぁ、と感じています。

現実世界でもVR世界でも、同じ時間・場所を共有する楽しみには、その場に居る人々の「協働」が欠かせません。協働の前提条件となる注目と時間軸の共有を促す「司会」という仕事は、おそらくVRの世界でも必要とされるものだと思っています。

ですから、私はバーチャルタレントではなく、バーチャル司会者「一翔剣」を作りました。もし、バーチャル上で司会を必要とする機会があれば、お気軽にご連絡ください。

Part. 5

VRの先駆者に聞く

Section

1 バーチャルタレントといっしょにライブを見るという独自体験

リアルなコンサートでは無理だけどVRなら可能になる。
アーティスト、オーディエンス共に、今までにない新しいライブ体験ができる
VARK代表取締役の加藤卓也さんに、バーチャルライブにかける意気込みをお聞きしました。

聞き手：東 智美　執筆：武者良太

推しの子が隣で歌ってくれるバーチャルライブスペース

――VARKはどんなサービスですか？

バーチャルライブプラットフォーム「VARK」の正式リリースは2018年11月です。現在は有料のイベントの他に、LIGHT STAGE（β）というOculus Questが手元にあれば誰でもバーチャル空間で音楽ライブが簡単にできるサービスを提供しています。

VARK代表取締役
加藤卓也さん

1991年生まれ。新卒で株式会社カプコンに入社。某人気ゲームタイトルシリーズの新規事業企画などを担当。またVRタイトル開発の立ち上げにも携わる。その後独立し、株式会社VARKを設立。

バーチャルライブ会場には多くのお客さまが集まっていますが、VARKの場合は、誰でも最前列中央から見ることができること、アーティストが自分の横に、手の届くような距離にまで来てくれて、いっしょにライブを応援したり歌ってくれるのを楽しめる、バーチャルライブならではの設計をしているのが特徴です。

――ビジネスの収益構造は？

VARKは完全にB2C向けのサービスであり、お客さまが買ってくれたチケット、フラワースタンドやくす玉などのギフティング、後日自宅配送されるTシャツなどのノベルティグッズ、そしてVR空間内でのライブを再体験できるアーカイブ配信の収益で成り立っています。

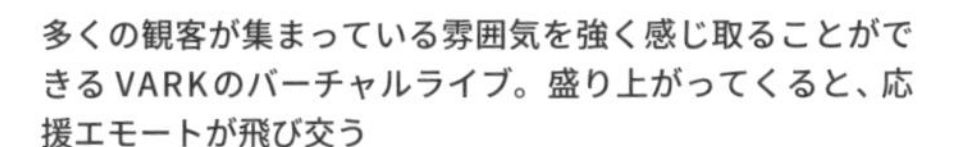

多くの観客が集まっている雰囲気を強く感じ取ることができるVARKのバーチャルライブ。盛り上がってくると、応援エモートが飛び交う

ライブ会場やステージ演出にもファンが関われる

――観賞チケット以外にもバーチャルのアイテムやリアルグッズの販売があるのですね。

フラワースタンドや花火などは自分の名前を入れることができますし、それを見たアーティストが「〇〇さんありがとう！」と直接本人にレスを返してくれることもあります。曲のサビに合わせてみんなで花火を上げることもできます。ライブ会場やステージ演出にもファンが関われるんですよ。このバーチャルならではのインタラクティブなコミュニケーションは、ファンにとってとてもエモーショナルな体験となります。

――アーカイブではどんな映像が見られるのですか？

アーカイブはライブをVR空間内で追体験できる機能です。リアルライブ後に買うDVDのようなイメージで購入いただけるのですが、テレビに表示される編集された映像と違って、同じものを完全に再現できるVRだからこそ、“改めて同じ体験ができる”というところが、従来のDVDと比べて、明確に差別化ができていると考えています。

――チケット代金はどのくらいですか。

1公演あたり4,000～5,000円代が中心ですね。バーチャルライブ自体が新しいものでチケットの価格相場がまだまだ定まっていないところもありますが、実際にファンの方にアンケートをとると、高くないむしろ安いという声が多いんです。だからこそ僕たちとアーティストが本気で作ったライブを届けたい。本当にみんな真剣だし、熱量高いライブを開催しています。本当にみんな真剣だし、アーティストの方もファンの方も満足していただけるような、熱量高いライブづくりを意識しています。

VARKがきっかけでVRヘッドセットを買ったファンが多い

――VRヘッドセット利用についてはいかがですか。

当初はOculus Go用のアプリを用意していましたが、現在はQculus Quest/Oculus Quest 2、PS VR、スマートフォン用のアプリを提供しています。Oculus Quest発売（2019年5月）のときには大きな手応えを感じるようになりました。

VRヘッドセットではQculus QuestとQculus Quest 2を使っているお客さんが多いですね。実は、VARKのお客さんは、VARKきっかけでVRヘッドセットを買ったという方が多いんです。VRヘッドセット所有者の40%くらいの方々が、VARKのライブのために購入したと聞いています。最近は参加者の半分以上がVRになるのが普通となりました。

――利用者のデバイス変化はすぐにわかるのですか。

チケットの販売時にどのデバイスを使うのわかります。面白かったのは、Qculus Quest 2が売り出された当初、Qculus Quest/Oculus Quest 2のチケットが一気に売れたと思ったら動きが止まってしまった。するとしばらくしてPS VRのチケット販売数が伸びてきたことがあったんです。これはECサイトなどでOculus Quest/Oculus Quest 2の在庫などがなくなったようで、PS VRを引っ張り出してきたとか、借りてきて使った方がいたのではないかと。

――インターナショナルに展開されていますが、海外と国内の比率は？

アプリのダウンロード数は9割ぐらいがグローバル。チケット販売数でいくと、VRヘッドセット用チケット販売数の2割ぐらいがグローバルです。

アーティストと並んで、いっしょのライブを見て楽しめる。これはVARKだけでしか得られない体験だ

僕たちはバーチャルの世界観に対して、アーティストがどうやったら活躍できるだろうと考えています。バーチャルならばより表現の幅が広がり、新しいパフォーマンスにチャレンジできるだろうと考えているので、アーティストに対して真摯でありつづけ、最高のステージを作り、オーディエンスに届けたいと考えています。

自分の世界観を持つアーティストはバーチャルライブ向き

――アーティスト側はバーチャルライブにすぐ順応できるのでしょうか。

誰もがバーチャルライブに向いているとは考えていません。バーチャルライブに向いているのは自分のパフォーマンスの世界観を強くイメージしているアーティストの方です。その世界観を構築しようとした場合、東京ドームで開催するとしたら少なくとも数億円の費用が必要になるかもしれませんが、バーチャル空間上ならばはるかに低予算で実現可能じゃないかと我々は考えています。

多くのアーティストにとってバーチャルライブは初めての経験となります。何が良くて、何をやってはいけないのか。なぜ成功するのか失敗するのかのポイントがわからないでしょう。そういったところを、我々が入り、今まで培ってきた知見でサポートさせていただいています。アーティストが夢を持ってVARKでバーチャルライブを開催し、成功していく姿がまた次の夢を育てると思っていますので。

――向いていないアーティストは？

周囲から言われたからバーチャルライブをやろうという方、流行りだからやろうとする方は難しいです。バーチャルライブは、ファンの間で起こるバズが良くも悪くも周囲から見えるように視覚化されてしまうので、そこで熱意の差も歴然と出てしまいます。我々としてはとてももったいないないなと思ってまして、一工夫をしなければばと考えています。

――今後も多くのアーティストを輩出されることを期待しています。

地下アイドルなど、「ファンが50人集まったらライブはできます」とよく言われます。50枚チケットを売ることができたら、若くても知名度が低くても、本人の熱量でステージを引っ張っていくことができます。弊社のLIGHT STAGE (β)というバーチャルライブ配信サービスは、誰でもバーチャルで活躍できるアーティストとしてデビューできる場にしたいと考えています。無料で利用できますし、自分のアバターのアップロード機能もあります。

バーチャル空間で活躍しよう、ここでまずがんばろう、コミュニケーションしていこうという方を応援していきたいですし、ここで人気となったアーティストが可能性を広げていくのもあるだろうと思っています。私たちのプラットフォームが、新しいアーティストが育つ場所として機能するようになればいいなと願っています。

Section

2 世界最大のVRイベントに集うアバターと企業

ひとつのイベントでのべ100万人の来場者を記録したバーチャルマーケット。いまや多くの企業ブースも抱える大型イベントの発起人であり主催者のVR法人HIKKY取締役CVO動く城のフィオさんに、舞台裏と今後の展望をお聞きします。

聞き手：東 智美　執筆：武者良太

ユーザーと3Dモデルの出会いの場として生まれた

――バーチャルマーケットをはじめたきっかけを教えてください。

初めてVRChatに参加したのは2018年の2月です。それより以前はVTuberとして活動しており、VRChatでは99枚の巨大ドミノを並べる「バーチャル賽の河原」（2018年3月）など、様々なVTuberさんとともに大型コラボ配信を行うなどの企画を行っていました。

その頃のVRChatは人気が高まってきていた頃で、日に日にユーザーが増えていったのですが、自分のアバターの3Dモデルデータを持っているVTuberはさておき、一般の方は数少ないパブリックアバターを使っていました。また一部には、残念ながら不正に配布されていた3Dモデルデータを利用している方もいました。

しかし2018年の5月、初めてVRChatアバター用

バーチャルマーケット主催
動く城のフィオさん

バーチャル空間内で暮らし、遊び、働く、スチームパンクなドワーフ。
バーチャル空間でのイベント開催や企画プロデュースを生業にしている。VR法人HIKKY取締役CVO。2018年8月、バーチャル空間内のマーケットフェスティバル「バーチャルマーケット」を立ち上げる。以降、年に2度のペースで開催を続け、第5回となる2020年12月の「バーチャルマーケット5」では100万人の来場者を動員。誰もがバーチャル空間で生きていくことができる社会の実現を目指す、小さい身体に大きな夢を持った美少女おじさん。

HIKKYについて

「人の創造性を既存の価値観から解き放つ」がキャッチフレーズ。

VR/AR領域において大型イベントの企画・制作・宣伝、パートナー企業との合同新規事業開発が主業務。エンタテインメントVRを牽引する注目のクリエイター達をメンバーとして、業界の発展やクリエイターの発掘・育成を目標に2018年に設立。バーチャル世界の生活圏・経済圏を発展させ、クリエイターがより活躍できる場を支えていく企業として、様々な先進的試みを行っている。

バーチャルマーケット5では73の企業・アーティストと、1,100を超える一般サークルが出展。10%近くが海外の方からの出展だった

の3DモデルがBOOTHで売り出されたんです。この3Dモデルがものすごく流行して、そこからポツポツと自作の3Dモデルを販売するクリエイターが増えていきました。魅力的なアバターやアイテムが次々と生まれ、アバター用3Dモデルの売り買いがはじまったことに、「この流れってすごくいいな」と思ったんです。そしてせっかくの3Dアバターなのだから、現実世界のECサイトだけでやり取りするのではなく、VR空間内で作品をアピールできる場を作るべきだと考えたんですね。そこでクリエイターと、クリエイターの作品と、ユーザーの出会いの場として、最初のバーチャルマーケット(2018年8月)を開催しました。

グローバルなイベント会場として認知されていく

――最新のバーチャルマーケット5は、どのような意図でワールドのデザインをされたのですか。

バーチャルマーケットは基本的に日本人ユーザー向けのイベントなので、日本語が読めない海外の方が入ってきてもすぐに離脱してしまうところがありました。しかしVRChatは英語圏コンテンツのため海外のユーザーが多く、バーチャルマーケットにおいてもバーチャルマーケット3(2019年9月)の頃から海外からのアクセスが増え、VRChatと公式にパートナー契約を結んだバーチャルマーケット4(2020年4月)で一気に伸びました。

そこでバーチャルマーケット5(2020年12月～2021年1月)では、あらゆる世界の人々に楽しんでもらえるようなコンテンツにしていきたいという思いがあって、VRの特徴である「距離を超えられる」ことをテーマとして、世界遺産や有名な建築物を集めて、ワールド内で世界一周旅行ができるような内容にしました。

バーチャルマーケット5ではバイリンガルなスタッフで構成するグローバルチームができました。もともと、アメリカ人の友人のストリーマーから、アメリカでもバーチャルマーケットを開催したいと相談されていたんです。でも組織作りやスポンサー集めなど、実際に開催するのは難しかったとのことで、バーチャルマーケットのグローバル化に力を貸してくれないかと持ちかけました。彼を筆頭とするGlobalTeam、LocalizationTeamの活躍も会って、バーチャルマーケット5の全出展者数約1,100のうち、10%近くが海外の方からの出展となりました。ブースの表示言語やショップ機能も、日本語から英語に切り替えられるようにしました。

バーチャルマーケットが企業アピールの場に

――企業ブースがとても増えた、企業から注目されているという印象があります。

バーチャルマーケット1ではユーザーと有料3Dモデルの接点づくりに寄与できたと感じました。そして、今後のことを考えたとき、マーケット＝経済が回る場所を作ることによって、VR空間内での仕事の稼ぎでリアルの自分や家族を養っていける未来が実現したらいい、と思ったんです。VR空間内の買い物はECではあるのですが、リアル店舗と近い感覚なんです。販売されているものとの偶然の出会いがある。ふと目に入ったブースにある3Dモデルがめちゃくちゃ好みで、一気にクリエイターさんのファンになるみたいなきっかけが起こるんです。

バーチャルマーケット1のときから企業ブースはありましたが、そのときは弊社とUnity（ユニティ・テクノロジーズ社）のブースだけでした。バーチャルマーケット2（2019年3月）から他の企業ブースも受け入れるようになりましたが、ここでもきっかけが起こると感じました。

3Dモデルの販売にしても自社製品とのタッチポイント作りにしても、R&Dというか、新規事業的な意味合いでVRをやってみようっていうときに、バーチャルマーケットの中でチャレンジができるんですね。ゲーミングPC+VRヘッドセットを持っている、ガジェットに対しての感度が高い層に対して反応率を見ることができるので、VRに対する今後の攻め方みたいな感じのものを、我々といっしょになって考えていきましょうと提案できると思ったんです。

Oculus Quest 2ユーザーもウェルカムの場所作り

――今後の展開を教えて下さい。

バーチャルマーケット5を開催して、ひとつ大きな手応えを感じました。それはOculus Quest 2の普及です。もともとバーチャルマーケットはVRヘッドセットとPCを合わせて使っているユーザー向けの、ハイエンドな体験ができるイベントでしたが、これからOculus Questユーザーが多くなるだろうなと予測して、バーチャルマーケット5ではOculus Quest単体でも入れる会場を初めて用意したんですね。具体的には過去のバーチャルマーケットの会場の一部を切り取り、Oculus Questの処理能力でも問題なく入場できて、バーチャルマーケットらしさを体験してもらえるように作り直したんです。

その会場がとても評判がよかったんです。いままでのバーチャルマーケットの来場者数は、開催初日にドンと跳ねて、日を追うごとに減っていきましたが、Oculus Quest向け会場の来場者数はずっと高い数字をキープしていたんです。また回遊率に関しても高い数字を維持していました。すでにOculus Quest/Oculus Quest 2のユーザー数は多くなっているんだと実感したんです。同時に、PC VR環境でなければ入れないVRイベントのハードルは高いということも把握できました。

そこで今後はOculus Quest/Oculus Quest 2など、スタンドアローン型VRヘッドセットへの対応を強化していくなど、ライトユーザーの方にも気軽に遊びに来ていただきやすい環境を整えながら、一般クリエイターさんにとっても、もっと一つひとつの作品が注目されるようになる仕組みづくりを準備しています。

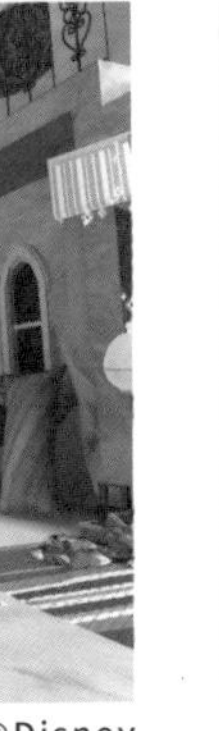

©Disney

企業ブースが立ち並ぶWorldには世界中の世界遺産やランドマークが再現されていた。すべて許可を取ったそうだ。写真下段右は、ロックミュージシャンMIYAVIのパフォーマンス。360度スクリーンで体験できるバーチャルイベントも話題になった

Section

3 リアルライブとは異なるバーチャル体験を

2020年イベント動員数は300万人を突破、VTuberライブやKDDI、
ポケモンとの大規模コラボなど、数多のバーチャルライブ・イベントを手掛けている
バーチャルSNS「cluster(クラスタ)」の加藤直人氏に、お話をお聞きしました。

聞き手：東 智美　執筆：武者良太

“集まる”行為はエモーショナルなことだった

――clusterはどんな会社ですか？

clusterはバーチャルライブ専門のサービスではなく、もとからバーチャルSNSという視点ではじめました。2020年初頭よりゲーム機能も提供していますが、SNSは最終的にゲームを中心とした生活体験が主戦場になると考えていました。SNSを軸にして、ライブやゲームなどのコンテンツが享受できるし、ユーザー自身が作ることもできるエンターテインメントプラットフォーム。これが作りたかった形だったのですが、最初からゲームを提供しても収益は上げられないと感じ、ライブ・イベント中心としてスタートしました。

――ゲームよりライブのほうが収益が上がると考えた理由は？

バーチャル上のイベントがビジネスになるという仮説は最初からありました。リアルライブはアーティストやアイドルへの期待値でチケットやグッズが売

クラスター株式会社 代表取締役
加藤直人さん

京都大学理学部で、宇宙論と量子コンピュータを研究。同大学院を中退後、約3年間のひきこもり生活を過ごす。2015年にVR技術を駆使したスタートアップ「クラスター」を起業。2017年、大規模バーチャルイベントを開催することのできるVRプラットフォーム「cluster」を公開。現在では、イベントだけでなくオンラインゲームを投稿して遊ぶこともできるバーチャルSNSへと進化している。経済誌『ForbesJAPAN』の「世界を変える30歳未満30人の日本人」に選出。

clusterのサイトにはイベント一覧が掲載されており、音楽や実況プレイなどエンタメ系のライブだけでなく、技術や生物、歴史など、様々な分野の勉強会も頻繁に行われているため、気軽に参加してみたい。図は大スクリーンをプレゼンに使っている勉強会イベントの様子だ

れます。これはバーチャルライブも同じだろうと。50人や100人しか集まらなかったとしても、お客さんの満足度が高ければ回数をこなせるし、規模を大きくしていけると考えました。

"集まる"というエモーショナルな体験は、今までインターネット上に乗せる方法が擬似的なものしかほぼなかった。YouTubeのコメントでいっしょに見ているという感覚はあれど、ひとつのイベントの場に集うという熱狂感はなかったんです。

だから、お客さんがお金を払ってくれた上で満足してくれさえすれば「いける」と思っていました。

VRライブの価値は「体験共有」が9割

——実際にやってみて発見したことは。

チケット機能を実装した1回目のライブ（2018年8月に開催されたVTuber輝夜月の音楽ライブ）はチケット代金が5,400円だったのですが、そのときから手応えはありました。VRならではの体験価値に価格がついて満足してもらえた、ビジネスとして成立する最小要素が揃っているぞと。リアルライブと同様にファンが同じ場所に集まってくるときに気持ちが高揚してきて「あと30分ではじまるね！」と友達と話したり、終わった後もみんなでワチャワチャしながら「今日よかったね！」と言い合えます。もちろんコンテンツそのものも重要です。リアルライブを超えたゲーム的な演出もできるのですが、僕個人としての肌感覚としてはライブのコンテンツ自体の価値は1割くらい。9割がライブ前後の時間の体験・共有だと思っています。

スポンサーのIPが喜ばれるVR空間

――収益の比率はどのようになりますか。

イベントの収益性ですが、チケット購入者に対するバーチャルアイテム課金率が高いですね。チケットを買ってくれた人の3人に一人は課金してくれています。花火を打ち上げたりハートを飛ばしたりと、バーチャルアイテムそのものがコンテンツの、演出の一部になる体験はリアルイベントでは得られないもので、これもVRならではのインタラクティブエンターテインメントです。

スポンサーの存在も大きいです。イベント施策は企業のIPに愛着をもたせやすい、という特徴があります。たとえば、あるライブのスポンサーは日清食品だったため、エモーション（ユーザーが使えるアクション機能）で日清焼そばU.F.O.が出せるようにしたところ、ライブ中にU.F.O.が飛び交うことになりました。また、サントリーがスポンサーだったイベントで、バーチャル会場内にエナジードリンクZONeのボトルを置いたところ、来場ユーザーがアバターでそのボトルを持ち、乾杯したり飲んでいるところを写真で撮ってSNSに投稿するケースが多かったんですよ。それがタイムライン上にあふれて、みんなバーチャル上でZONeを飲んでいることが可視化され、単純に、イベントに来たお客さんだけで終わらない効果がありました。

バーチャルなら10万人一挙に収容できる

――VRライブの観客規模や特性は？

clusterでは1イベントにつき東京ドームの2倍弱である、10万人までの同時接続を保証しています。アバターとして表示されるのは50～100人くらいなのですが、サーバーを増強すればするほど増やすことは可能です。ユーザーの年齢層は小学生から40代くらいまで幅広いです。男女比は6:4くらいですね。

clusterはVRメタバースというよりマルチデバイスプラットフォーム。現在はスマートフォンユーザーが多くを占める

——みなさんの参加モチベーションはいかがですか。

面白いと思うのは、チャンネル登録者数が1万人くらいのYouTuberさんでも、数百人のファンがチケットを買ってくださるんですよ。足を運ばなくてはならないリアルライブとは異なり、バーチャルライブだとどこからでも集まることができるし、「いまバーチャルライブが盛り上がっている」というツイートが流れてきたら、すぐにリンクをタップしてチケットを買って中に入れるメリットがあります。

スマートフォンのメリットを最大限活かす

——視聴環境は？

現在clusterは、スマートフォン、タブレット、Windows PC、Macで利用できますが、スマートフォン単体でライブに来るお客さんが8割以上です。最初からVRヘッドセットのデバイス限定ではなく、全デバイスで利用できるようにと考えていました。デバイスに関してはシチュエーションに合わせて、ユーザーに選んでほしいというのがありますね。移動中に電車の中でスマートフォン、着替えているときはタブレット、一息ついたらVRヘッドセットで、といったように。

——これからもVR環境がなくても楽しめる？

今後は、各デバイスの特性を最大限活かした体験を提供したいと考えてます。たとえば、スマートフォンのインカメラでフェイシャルトラッキングして表情をアバターに反映させるとか。これは現状のVRヘッドセットではできないですが、メリットはとても大きいですよね。

将来の展望はゲーム中心のSNS

——ライブ以外にも展開が？

次の時代の中心領域はやはりゲームだろう、と考えています。いま現在、全世界で30億人のゲームユーザーが居るんですよ。10年前のゲーム人口は10億人を超えていなかったのですが、世界中にスマートフォンが普及していくと同時に増えていきました。2030年くらいまでには、10億人のユーザーを抱えるゲームプラットフォームが登場するだろうとも言われています。

現在のclusterには、熱狂的なゲームクリエイターが増え続けています。ゲームのクリエイティブツールを公開して半年で3,000ものゲームワールドが作られましたし、毎日clusterに入っているユーザー数もかなりいて、どんどんコンテンツのクオリティが上がってきています。収益性はイベントの方でまかなえているので、クリエイティブツールとコミュニティを育てていくというターンに入っています。

海外展開も視野に入れています。ただ重要なのはゾーニングだと考えています。VRなソーシャル・コミュニティサービスで、いろいろなカルチャーや言語が混ざると居心地が悪くなる懸念もあるからです。

Section

4 ストーリー重視のジャパニーズゲームでVR市場に挑む

海外ユーザーの人口数が多いVRヘッドセット市場において、MyDearestの岸上健人さんはあえて日本らしいアドベンチャーゲームをVRで遊べるようにと2つの作品をリリースしてきました。その結果、どちらの作品も広く受け入れられることとなったのです。

聞き手：東 智美　執筆：武者良太

収益性が望めないとされていたVR元年に企画した

――MyDearestで開発されたVRゲーム作品について教えてください。

2019年3月にVRミステリーアドベンチャーゲーム「東京クロノス」を、2020年12月にVRインタラクティブストーリーアクションゲーム「アルトデウス：ビヨンドクロノス」（以下アルトデウス：BC）をリリースしました。VRってかなりアーケード型というか、どうインパクトを与えていくかという体感を重視したゲームが多い中で、日本らしいというか、物語性をフルに生かすような作品がほとんどなかったので、自分たちで作りたいなと思ったんですね。

世間的には、2016年、2017年はよくVR元年と言われながらも、「東京クロノス」を企画した2017年10月ごろは、業界内でVRで収益を上げるのは極めて難しいとも言われていました。PCやPS4、スマートフォンに接続しなければ使えないVRヘッドセットなんてそうそう売れないだろうと。当時はコンテンツのトレンドがVRからVTuberに移行していた時期でもあり、「やばいこと言ってんな」「本当に大丈夫？」と、7割の人に反対されていたんです。でも本格的なものを作れば、ちゃんと収益も立つだろうって判断をしたんです。

MyDearest株式会社 代表取締役 CEO
岸上健人さん

徳島県出身。ソフトバンク株式会社に在籍した後、2016年4月MyDearest株式会社を創業。プロデューサーを担当したVRゲーム「東京クロノス」「アルトデウス BC」といったタイトルが国内外でヒット。

本格VRミステリーアドベンチャーゲーム「東京クロノス」(PS VR、Oculus Quest、PC VR用にリリース)。総プレイ時間は15時間におよぶほどの大作だ

単体で動作するVRヘッドセットがブレイクスルーのきっかけに

――反対されてもVRゲームを作ろうと思った経緯を教えてください。

僕がVRに触れたのは2012年くらい、当時大学の寮で同室の一人がVRを研究していたのと、ソードアート・オンラインのアニメ(1期は2012年、2期は2014年)を見ていました。さらにOculus Riftのクラウドファンディングがはじまった時期でもあり、アニメを見ていたとき「いつか同じ感じの世界が来るのかな」と思っていたら、Oculus DK(Development Kit。開発者用キットのこと)が出てくる。このコンボには、ハマらざるを得なかったんです。

VR開発者主導のVRイベントOcuFes(2013年～2016年。以後はJapan VR Festに改称)が開催され、そこでも熱気を感じました。そして2016年にMyDearestを設立。2017年にはマチ★アソビ(徳島県徳島市で開催されているアニメカルチャー主体のイベント)で徳島VR映像祭を開催し、VR小説などを公開してきました。このときにVRエヴァンジェリストのGOROmanさんに沢山の人をご紹介いただき、いろんな話ができたのですが、その一人がOculus創業者のパルマー・ラッキー氏でした。彼からOculus Goの話を聞いて、僕は単体で動作するVRヘッドセットの存在にかけてみよう、むしろOculus Go時代を迎えてもダメなら全部ダメだろうと思ったんです。

クラウドファンディングで熱量のあるファンとつながる

――実際の収益はいかがでしたか？

いずれもクラウドファンディングで開発資金やプロモーション費用の一部を調達したのですが、おかげさまで「東京クロノス」は約800万円、「アルトデウス：BC」は約2,000万円の資金を調達できました。またイベントやグッズなど、ゲーム販売以外にも収益を上げやすいようにとキャラクターを多く出したことが幸いして、MyDearestは「東京クロノス」発売後半年で黒字となりました。

——それだけ多くの人が期待されたんですね。

クラウドファンディングがなかったら、ここまでいかなかったと思います。もともとまだVRヘッドセットは持っていないけど、これから買ってくれるファンを集めようというコンセプトだったんですよ。僕らはある意味モルモットですと。挑戦するから応援してほしい、「制作共犯者」という名前になっていただきいっしょにやっていこうというコンセプトでした。

「アルトデウス：BC」のクラウドファンディングのときは、もっと広い市場を目指すという目標がありました。自分たちだけで盛り上げようとしても、VRコンテンツってSNSでは拡散しづらいところがあるんですね。だからやっぱり熱狂してくれるファンがとても必要ですし、ファン一人一人の火力がすごく求められると感じています。

VRゲームは初動以外にも売れるタイミングがある

——Twitterでは発売後1年以上経っても、東京クロノスの話題が上げられています。

実は「東京クロノス」の過去最高売り上げを達成した月は2020年12月です。発売から1年半以上経ってここまで売れるとは思っていませんでした。エンディングのあるゲームは初動だけがよくて、1回売上のピークを過ぎたら終わりと言われる中で、正直、びっくりしました。コロナ禍であった、Quest 2が発売されたなどの理由が重なって、多分VR人口が爆増したと思うんですよね。

——グローバル展開はされていますか？

それぞれ英語圏向け、中国語圏向けにも展開しています。「東京クロノス」は中国語圏での反響が大き

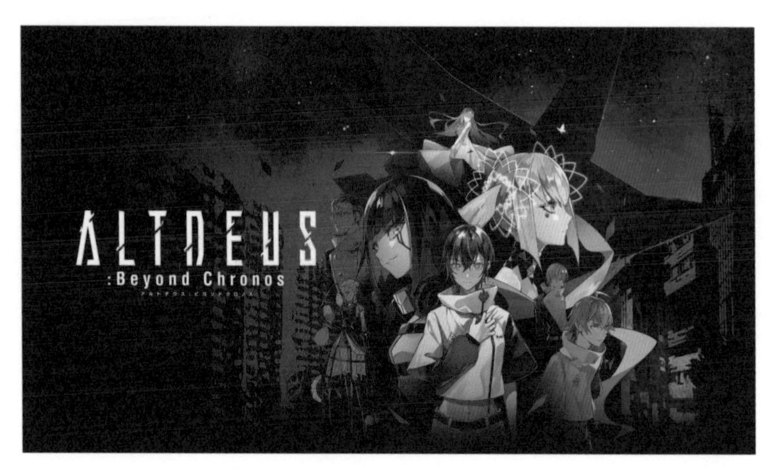

VRインタラクティブストーリーアクションゲーム「アルトデウス：BC」(PS VR、Oculus Quest、PC VR用にリリース)。巨大ロボットを自由に動かすという、アニメの世界の中に入り込んだような強烈な臨場感に多くのファンが惹き込まれた

いです。「アルトデウス：BC」は英語圏で特に売れています。英語ボイスをつけたことも評価されたと考えています。字幕だと読まないユーザーが多いんですよね。（注・インタビュー当時は）、まだOculus Quest用のアプリしかリリースしていなかったので、PC VR用のアプリをリリースしたら状況は変わるかもしれません。

――「アルトデウス：BC」の企画開発において、「東京クロノス」の開発経験をどう活かしましたか。

「アルトデウス：BC」は「東京クロノス」の問題点をいろいろ解決した部分がありますね。先程の英語ボイスをつけたこともそうですし、ゲーム実況映えするようにしたことも「アルトデウス：BC」の特徴です。「東京クロノス」はビジュアルが大人しくて、VRで体験しているという感覚が伝わりにくかったんです。語りが上手い実況者であればその方の話術によって魅力を引き出してもらえると思うんですけど。でも「アルトデウス：BC」は絵的に動きをつけるなどして、画面自体を派手にしました。海外のプレイヤーのコメントを見ると、「JRPGが好きな人に向いている」といった内容のものが多いですね。

新しい×馴染みやすいのバランス取りが重要

――岸上さんの考える、ゲーム企画に必要な要素はなんでしょうか。

私たちのゲーム開発における思想として、新しさと馴染みやすさの両立が大事だと考えています。僕自身は先端をいく尖ったゲームが好きなのですが、それだと沢山の人には理解されず売れにくいし、そもそもVRゲームはVRヘッドセットが新しさを担保しています。そこで「東京クロノス」はVRなんだけど、「ダンガンロンパ」「428 ～封鎖された渋谷で～」や「シュタインズゲート」（サウンドノベルゲーム）のような、馴染みやすいと感じてもらえるようにと意識して作りました。「アルトデウス：BC」も企画書の段階ではとても尖ったゲームだったので、僕から馴染みやすさの要素を入れてもらえるようにとディレクターにお願いしました。

――今後の展望を教えてください。

現在は攻めのタイミングだと感じています。VRユーザーの母数は増えているにも関わらず、良質なVRゲームはまだまだ足りていません。そこで次回作は、さらにマス向けのゲームを考えています。「東京クロノス」は、VRだからこその体験としてはおとなしいところがありましたが、「アルトデウス：BC」は、アクション性を取り入れ、ゲーム実況映えするビジュアルにしました。物語性の追求はある程度やりきったので、これまでより予算はかかりますがインタラクティブ性、ゲーム性を高めていきます。物語性はファンの気持ちを縦方向に深めていく効果があり、ゲーム性はファンを横方向に広げる効果があります。とはいっても、日本人が作るグローバル向けタイトルだと思います。海外受けをするゲームは、やはり海外の方のほうが上手く作れると思うので。

Section

5 バーチャルリアリティの誕生と発展

**様々なテクノロジーが存在する現代において、VRはどのような立ち位置となるのか。
東京大学 先端科学技術研究センターの稲見教授に、バーチャルリアリティだからこそ、
時間や重力を超えた体験ができるVRの価値についてお聞きしました。**

聞き手：東 智美　執筆：武者良太

VRは身体拡張・人間拡張を体験できる技術

――これからのテクノロジーとして、VR技術をどのように捉えていらっしゃいますか。

テクノロジーの大きなトレンドとして、自動化と自在化があります。

前者は人に代わるものとして機械やロボットに代替させる技術です。後者は自動化に対する自在化、すなわち身体拡張・人間拡張に関するものです。こちらは困ったときや、やりたいことがあるのにできないときに、自由自在にできるように支援するような技術を指しています。その中で、VRは体験そのものを、自分の身体能力と切り離して再設計できる、自在化に相当する技術と位置づけています。

そして自在化には身体拡張と人間拡張があります。前者は肉体のフィジカルな能力を拡張するもので、後者は認知能力や学習能力、感覚など、人間としての機能を拡張できないかというものになります。VRで空を飛んだりとかの超人体験ができるというのも身体拡張ですね。

**東京大学 先端科学技術研究センター
身体情報学分野 教授
稲見昌彦さん**

専門は人間拡張工学、バーチャルリアリティ、ロボット工学、ウェアラブル技術。 透明コックピット、ストップモーションゴーグル、前庭感覚電気刺激を用いたインタフェース、JINS MEME、超人スポーツなどの研究を通して人間の入出力を拡張するための研究を行っている。

第三第四として、VR内の世界で翼を動かす研究

——稲見研ではどんなVR研究がされていますか。

人間拡張の観点で、たとえば足を使ってロボットの腕を動かしたり、肩の筋肉など手足以外の身体の部位を動かすことで、翼をあやつることができれば、人間はVRの中で阿修羅や天使のようになれるのではないか。という、第三第四の腕を作る研究をしています。もちろんコンピュータのアシストは入りますが、いまは、ゆっくり動かすぐらいまではできています。

脳の体性感覚野と運動野は身体のいろんな部位に対応しているわけですが、そもそも人間は、道具を使う生き物です。道具の進化に伴い身体性の変容を重ねてきました。そもそも身体は脳からみると、外界に働きかける道具とも言えるわけで人間にはまだまだ脳の学習能力に余白があり、その余白をもっとテクノロジーよって強化できるのではないか、というのは人間拡張として興味深いですね。

スローモーションリアリティによるトレーニング効果

——他にもVRならではの研究がありますね。

VR上で手の長さをだいぶ長くしたときその人の守備範囲は変わるだろうかという実験をしました。たとえばサッカーのゴールキーパーの手を大幅に長くしたら、既存の守備範囲では諦めてしまうようなはボールにも手を伸ばすようになるんですね。これは機械やARでも代替できる話ですが、VRでしか実現できないものとして、協力研究員の川崎仁史さんがけん玉のスローモーションリアリティによるxRトレーニングの研究をしています。VRの中で時間軸の長さを変えるわけです。ゆっくりと球が動く世界でけん玉を練習すると大半の人は技の習得ができるよ

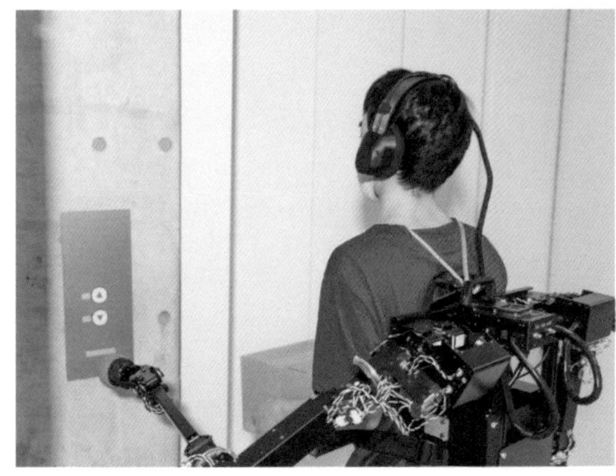

翼や第三、第四の腕を動かすため、ヘッドホン式の視覚感知装置と認識システムを用いた人間拡張の研究

VRの技術を使えば自分のペースで技術を習得することができるため、物理世界だけで練習を続けるよりも短時間で学習できる

うになります。逆にVR内の時間軸をどんどん速めていくことで物理世界へ戻ったときにけん玉の動きが実際よりゆっくり見え、高度な技を習得できるといった訓練もできるわけです。

　また、力の入れ方抜き方、といった見ているだけでは理解できない動きも、バーチャル触覚と組み合わせることでトレーニングの効果を劇的に上げられるのではないかなど、VRによって拡張された学習能力の分野が着目されています。

――VRの世界で学習効果が大きく変わるというのは興味深いです。

　物理世界は、このような難易度調整ができません。たとえば現実のスポーツをゲームとして考えた場合、適性がない人にとってはレベル1でいきなりラスボスと対戦して最初から壁にぶつかって前に進めないようなもので、ゲームデザインがめちゃくちゃだと感じます。

　人は失敗からだけでは成長ができず、失敗と成功を適度に混ぜて繰り返さないと学習の継続やスキルの習得ができません。しかしVRならば適性に合わせて適切な成功体験ができるように難易度を調整することができるので、多くの人が脱落せずに成長するよう物理世界というゲームの再設計ができるわけです。

価値観の異なる世界をつなぐ新たなコミュニケーション

――VRが普及する近未来は、どのような社会となるでしょうか。

今後世界中がオンラインやVRで繋がったときに、物理距離を越えて世界がひとつになるのではなく、文化、心情、思想や宗教により、より小さなクラスタが生まれ自己組織化していく大分断時代が訪れるであろうと思っています。その時代のコミュニケーションは語学力に依存するものではなく、各価値観内の共通言語を使いながら価値観の全く異なる世界を繋げられる能力が問われるのではないでしょか。

テクノロジーはそこを繋ぐのを支援するための力、もしくは全く違うことをやりながら共通の価値に繋げられるような仕組みが求められ、今後の新しいサービスに繋がっていくのではないでしょうか。

たとえば、いくつかの面白い実験の中のひとつに、二人の人間が別々のところで凧揚げと魚釣りを行うVRゲームの実験があります。実はゲーム内の互いの糸は繋がっており、そうとは知らずに遊ぶことで互いの行動が2つのゲーム世界内で良い影響をもたらす。実は協力プレイになっている、という面白い実験です。

これまで人間の世界がひとつしかないゲームデザインの中で、SNSのエコーチャンバーに見られるような不幸な分断が生まれていました。Twitterの炎上なども同じ世界に多様な価値観が掘り込まれることで起きているわけです。現在の社会的分業を超え、価値観によるたくさんの世界を構築しながらも、その大分断の中で共生する方法を考えることは、次の時代を幸せにする処方箋のヒントになるかもしれません。

ニュータイプはコミュニケーションの文脈が異なるか

――次世代の人類はどのように進化するとお考えですか。

最近、VRは物理社会に囚われた人々の固定観念を引きずっているのでは、と考えることがあります。以前将棋の藤井聡太棋士が、頭の中に将棋盤を持っていない、イメージしていないということが話題になりました。ほとんどの棋士の方は頭の中にバーチャルな将棋盤を持ち、その盤上で高速に駒を動かして先読みをしていたわけですが、藤井さんにはないと。それを知ったとき、全く新しい抽象概念だなと感じたんです。

環境が変わると能力の発揮の仕方は変わります。想像ですが、藤井さんはきっと将棋盤を理解してシミュレーションする学習方法じゃなかったんでしょうね。文字列、符号で最適解を出しているなら、むしろ他の人では打てないような手を出すのだろうと。

そう考えると人とコミュニケーションするときに三次元空間やリアルな身体を介すのがレガシーだとするならば、物理空間に紐づかない特殊なパラメーターをもってコミュニケーションできる人は新たな人類、ニュータイプになるかもしれないと思います。

執筆者紹介

東　智美
ひがし　ともみ

モバイルバッテリーメーカー「cheero（チーロ）」へ立ち上げから参加し、自社スマホケースブランド「RAKUNI（ラクニ）」を展開する、スマートフォンアクセサリーメーカー代表。VRChatをきっかけに2019年からVRメタバースにハマり、2021年、有志と共にxRメタバースマーケティングを生業とする株式会社往来を立ち上げた。

・往来Webサイト：https://ouraivr.com/
・Webサイト：https://rakuni.me/
・VRChat：pichikyo

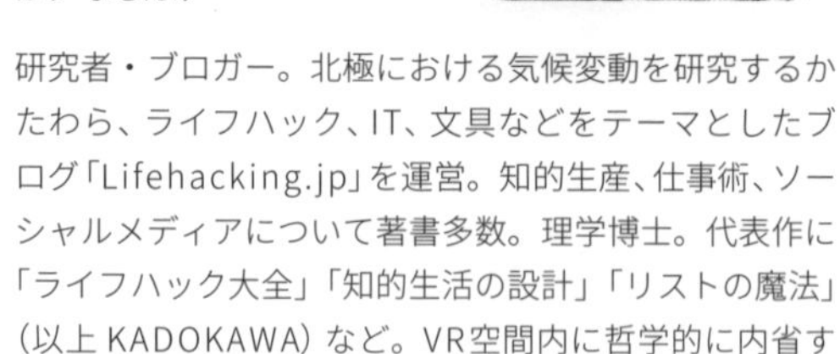

堀 正岳
ほり　まさたけ

研究者・ブロガー。北極における気候変動を研究するかたわら、ライフハック、IT、文具などをテーマとしたブログ「Lifehacking.jp」を運営。知的生産、仕事術、ソーシャルメディアについて著書多数。理学博士。代表作に「ライフハック大全」「知的生活の設計」「リストの魔法」（以上 KADOKAWA）など。VR空間内に哲学的に内省する書斎を構築するのが夢。今回、チーム往来にはアドバイザーとして参加。

・個人ブログ：http://lifehacking.jp
・VRChat：mehori

岩佐 琢磨
いわさ　たくま

パナソニックにてキャリアをはじめ、2008年に株式会社Cerevoを起業し30種を超えるIoT製品を70以上の国と地域に販売。2018年4月新たに株式会社Shiftallを設立し、代表取締役CEOに就任。独自ブランドでの製品開発・販売を中心に、社外との協業製品も手掛ける。2021年ShiftallはVRメタバース・ビジネスへと参入、Lumixのデータ販売やフルトラ機器「HaritoraX」を発表。

・Webサイト：http://shiftall.net
・VRChat：warenosyo

武者 良太
むしゃ　りょうた

デジタルデバイスのインプレッション、ビジネスリーダー・エンジニアインタビューを主業務とするフリーライター。元Kotaku Japan編集長。2015年、ソニーProject Morpheusを体験したことを機に、VRへの興味が募る。VRChatでは友人との交流とともに、一人旅のように美しいワールドをソロで巡るのも好み。

・個人ブログ：https://pongpong.net/
・VRChat：ryooo

田中 奈緒
たなか　なお

VRコンテンツクリエイター。VR空間上で映画撮影・ライブ運営などに携わる。在京企業の主任研究員として勤務する傍ら、VRコンテンツ開発を行っている。元ゲーム開発者であり90年代はアーケードゲーム開発を行っていた。根っからのゲーム好き。Oculus Quest購入を機にVRコンテンツにはまっている。

・YouTubeチャンネル：https://www.youtube.com/channel/UCO410oWyFW2RtypAj7v3Vsw
・VRChat：naoccino

滝川 洋平
たきがわ ようへい

都内出版社勤務のコミュニケーションデザイナー / プランナー / ライター。テレビ局のデジタル事業戦略子会社などを経て現職。デジタルコンテンツ配信サービスの企画やマネタイズ、DX戦略などに従事。PR視点のコンテンツプランニングが強み。VR体験がもたらす企業とファンとのエンゲージメント構築の可能性に期待して夜な夜なUnityとBlenderの勉強に勤しんでいる。

・個人ブログ：https://ultra-relax.com/
・VRChat：ko10buki

大屋 友紀雄
おおや　ゆきお

1997年、NAKED Inc.に設立メンバーとして参加。各種映像作品や映画作品、空間演出のプロデューサー／クリエイティブディレクターとして活動。2021年1月古巣NAKED Inc.を退職。SaaS系スタートアップに参画するかたわら、アートとビジネス、テクノロジーを結ぶ「創造性デザイン」をテーマとした活動を開始。趣味は温泉。

・個人ブログ：https://ultra-relax.com/
・VRChat：opi_jp

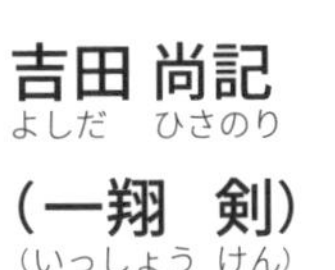

吉田 尚記
よしだ　ひさのり

（一翔　剣）
（いっしょう けん）

ラジオ局、ニッポン放送アナウンサー。第49回ギャラクシー賞DJパーソナリティ賞受賞。2014年にモーショントラッキングを使ったCGアニメ『みならいディーバ』を発案し、製作総指揮を務める。現在は非常に声がよく似たバーチャルMC「一翔剣」の上司として、毎晩vTubeを生放送中。地上波ラジオのスタジオで常時HMDをつけている、おそらく日本唯一のパーソナリティ。コミュニケーションについての著書多数。

・SNS：https://twitter.com/yoshidahisanori
・VRChat：ishouken

参考文献

『スノウ・クラッシュ 上・下』
ニール・スティーヴンスン（著）／早川書房（ハヤカワ SF文庫）／2001年

『だまされる脳　バーチャルリアリティと知覚心理学入門』
日本バーチャルリアリティ学会 VR心理学研究委員会（著）／講談社ブルーバックス／2006年

『バーチャルリアリティ学』
舘 暲、佐藤 誠、廣瀬 通孝（監修）　日本バーチャルリアリティ学会（編・発行）／コロナ社／2011年

『バーチャルリアリティ入門』
舘 暲（著）／筑摩書房（ちくま新書）／2002年

『万物創生をはじめよう　私的 VR事始』
ジャロン・ラニアー（著）　谷垣暁美（訳）／みすず書房／2020年

『フューチャー・プレゼンス　仮想現実の未来がとり戻す「つながり」と「親密さ」』
ピーター・ルービン（著）　高崎拓哉（訳）／ハーパーコリンズ・ジャパン／2019年

『VRが変える　これからの仕事図鑑』
赤津 慧（著）　鳴海拓志（監）／光文社／2019年

『VR原論 人とテクノロジーの新しいリアル』
服部 桂（著）／翔泳社／2019年

『VRのすごさ～30代の会社員が1年間没頭して見えたこと～：もっと多くの人にVRを知ってもらいたい』
ひら吉（著）／電子書籍 Kindle

『VRは脳をどう変えるか？　仮想現実の心理学』
ジェレミー・ベイレンソン（著）　倉田幸信（訳）／文藝春秋／2018年

『VRビジネスの衝撃　「仮想世界」が巨大マネーを生む』
新 清士（著）／NHK出版（NHK出版新書）／2016年

『60分でわかる！ VRビジネス最前線』
VRビジネス研究会（著）／技術評論社／2016年

Aryabrata Basu, 2019, "A brief chronology of Virtual Reality", arXiv:1911.09605v2 [cs.HC]

Ivan E. Sutherland, 1968, “A head-mounted three dimensional display”, In Proceedings of the December 9-11, 1968, fall joint computer conference, part I (AFIPS '68 (Fall, part I)). Association for Computing Machinery, New York, NY, USA, 757–764.

Mark A. Lemley, Eugene Volokh, 2018, “Law, Virtual Reality, and Augmented Reality”, University of Pennsylvania Law Review, vol. 166, no. 5, pp. 1051-1138,.

Takuji Narumi, Shinya Nishizaka, Takashi Kajinami, Tomohiro Tanikawa, Michitaka Hirose, 2011, "Meta Cookie+: An Illusion-Based Gustatory Display", In: Shumaker R. (eds) Virtual and Mixed Reality - New Trends. VMR 2011. Lecture Notes in Computer Science, vol 6773. Springer, Berlin, Heidelberg. https://doi.org/10.1007/978-3-642-22021-0_29_

謝辞──おわりに代えて

本書の執筆に先駆け、著者一同がVR技術とVRメタバースの魅力に目覚めるまでに多くの人のお世話になりました。

まず、初心者向けに操作方法を学べて、アバターを発見できるワールドを作ってくださったtamsco274さん、ひみこさん。お二人のおかげで私たちはVRChatの扉を叩くことができました。

ぴゅあ吉さん、そうにゃんさん、nyantelさん、max_touhuさん、tutinocoさん、みとちょんさん、もちみちさんには、様々なVRの世界の楽しみ方を教えていただきました。技術サポートをくださったえいきちさん、なまのなまこさん、ひら吉さん、Tokikazeさん、フリックさん、みなさんのおかげで数々の発見と思い出を作ることができました。

また、もうひとつのVRの楽しみ方を教えてくれたVRホストクラブ「アルタムーン」、「アルタイル」のみなさん。VR部活動やイベントを通して温かいコミュニティを作ってくれたスタジヲオイラのみなさん、VR蕎麦屋タナベさん＆蕎麦プロのみなさん、ラジオ体操部・マッチョ部のみなさん、CLUB RUINS Mini Live Showのみなさん、でお講のダンス講師のみなさん、あ茶会のみなさん、クロスマーケット運営のみなさん、バーチャルライフマガジンさん。その他大勢の仲間たちに感謝します。

本書の執筆にあたって、makotofalconさんには様々なアドバイスをいただきました。また、西川善司さんにはVRや周辺技術全般について様々な助言をいただきました。またVRChat内での撮影に協力してくださったみなさん、ありがとうございます。

VRのコミュニティには高い技術力と創造性、そしてなによりVRの世界にやってきた人々をわけへだてなく楽しませようとする暖かさがあります。本書をお読みになったみなさんも、VRの可能性を技術とビジネスの両面から追求するとともに、ぜひこうしたコミュニティに加わって、この世界を育てる仲間になっていただければと思います。

最後に、素晴らしいVRワールドとアバターを作ってくれたすべての人たちに深い感謝を。みなさんのおかげで、今日もこの世界は輝いています。

著者一同

Staff

装丁　木村由紀（MdN Design）
編集・DTP制作　宮崎綾子（アマルゴン）
本文イラスト　平松 慶
田中奈緒（手描きイラスト）

編集長　後藤憲司
担当編集　熊谷千春

未来ビジネス図解　仮想空間とVR

2021年4月1日　初版第1刷発行
2022年5月21日　初版第2刷発行

著者　株式会社 往来
発行人　山口康夫
発行　株式会社エムディエヌコーポレーション
〒101-0051　東京都千代田区神田神保町一丁目105番地
https://books.MdN.co.jp/
発売　株式会社インプレス
〒101-0051　東京都千代田区神田神保町一丁目105番地
印刷・製本　中央精版印刷株式会社

Printed in Japan

【カスタマーセンター】
造本には万全を期しておりますが、万一、落丁・乱丁などがございましたら、送料小社負担にてお取り替えいたします。
お手数ですが、カスタマーセンターまでご返送ください。

落丁・乱丁本などのご返送先
〒101-0051　東京都千代田区神田神保町一丁目105番地
株式会社エムディエヌコーポレーション カスタマーセンター
TEL：03-4334-2915

書店・販売店のご注文受付
株式会社インプレス　受注センター
TEL：048-449-8040 ／ FAX：048-449-8041

● 内容に関するお問い合わせ先
株式会社エムディエヌコーポレーション カスタマーセンター メール窓口
info@MdN.co.jp
本書の内容に関するご質問は、Eメールのみの受付となります。メールの件名は「未来ビジネス図解　仮想空間とVR　質問係」とお書きください。電話やFAX、郵便でのご質問にはお答えできません。ご質問の内容によりましては、しばらくお時間をいただく場合がございます。また、本書の範囲を超えるご質問に関しましてはお答えいたしかねますので、あらかじめご了承ください。

ISBN978-4-295-20094-9　C0034